D0285475

DISCOURS DE LA MÉTHODE

Du même auteur
dans la même collection

CORRESPONDANCE AVEC ÉLISABETH ET AUTRES LETTRES
DISCOURS DE LA MÉTHODE (édition avec dossier)
DISCOURS DE LA MÉTHODE *suivi d'extraits de* La Dioptrique, Les Météores, Le Monde, L'Homme, Lettres *et de* La Vie de Descartes par Baillet
LETTRE-PRÉFACE DES PRINCIPES DE LA PHILOSOPHIE
MÉDITATIONS MÉTAPHYSIQUES
MÉDITATIONS MÉTAPHYSIQUES. Objections et Réponses *suivi de* Quatre Lettres (édition bilingue)
LES PASSIONS DE L'ÂME

DESCARTES

DISCOURS DE LA MÉTHODE

Présentation, notes, dossier,
bibliographie mise à jour (2016) et chronologie
par
Laurence RENAULT

GF Flammarion

Édition mise à jour en 2016.
ISBN : 978-2-0813-9071-3

PRÉSENTATION

Le *Discours de la méthode pour bien conduire sa raison et chercher la vérité dans les sciences*, qui paraît pour la première fois à Leyde en juin 1637, sans nom d'auteur, est le premier texte publié par Descartes. C'est aussi le plus riche, par la variété des sujets qu'il aborde. Il s'agit du seul de ses écrits à traiter aussi bien de la méthode, de la métaphysique, de la physique que de la médecine et de la morale. Cette diversité correspond aux étapes principales du cheminement intellectuel de Descartes depuis ses études au collège jésuite de La Flèche (1607-1615), jusqu'à la rédaction du *Discours*, qui en fait le récit. Mais elle illustre aussi l'intuition fondamentale qui est à l'origine de la philosophie cartésienne, celle de l'unité du corps des sciences, que Descartes conçoit explicitement dès 1619, soit à l'âge de vingt-quatre ans, et qu'il évoque notamment dans la deuxième partie du *Discours* [1].

1. Cf. la lettre à Mersenne du 27 février 1637 (?), AT I, p. 349 : « Je nomme les Traités suivants des *Essais de cette méthode*, parce que je prétends que les choses qu'ils contiennent n'ont pu être trouvées sans elle, et qu'on peut connaître par eux ce qu'elle vaut : comme aussi j'ai inséré quelque chose de Métaphysique, de Physique et de Médecine dans le premier *Discours*, pour montrer qu'elle s'étend à toutes sortes de matières. » S'il n'est pas fait allusion ici à la morale par provision, lors même que le résumé placé en tête du *Discours* la décrit pourtant comme « tirée de cette méthode », c'est vraisemblablement parce que la troisième partie du *Discours* n'a été rédigée que très peu de temps avant la publication. Nous citons la correspondance dans l'édition Adam-Tannery (abrégée AT), pour les lettres qui y

Loin de constituer cependant à lui seul une somme de philosophie cartésienne, le *Discours* se situe à la croisée de plusieurs autres textes de Descartes, dont il aborde les thèmes sans les expliciter complètement. Ainsi, le *Discours* ne présente que très brièvement, dans sa deuxième partie, la méthode qui lui donne son titre, que les *Règles pour la direction de l'esprit en la recherche de la vérité*[2], rédigées vers 1628, jamais achevées ni publiées par Descartes, développaient bien plus abondamment. Descartes précise d'ailleurs : « Je n'ai pas eu dessein d'expliquer toute la méthode, mais seulement d'en dire quelque chose [...] c'est pourquoi j'ai mis *Discours de la Méthode*[3]. » Le *Discours* n'est donc pas un traité de méthode. Les quatre préceptes méthodiques de la seconde partie sont ainsi comme la partie émergente d'un iceberg dont les *Regulae* seraient la partie immergée, bien plus considérable, et qui fournirait à la méthode du *Discours* l'arrière-plan nécessaire à sa pleine compréhension. En outre, le *Discours* n'est pas publié isolément par Descartes, mais accompagné de trois autres textes, « *la Dioptrique, les Météores et la Géométrie qui sont des Essais de cette Méthode*[4] », ainsi que

---

figurent, et qui sont rédigées en français. Les autres lettres sont citées dans l'édition Alquié. Quand les dates sont controversées, il peut arriver que la date que nous indiquons ne soit pas la même que celle qui est indiquée dans AT.

2. Le titre latin est *Regulae ad directionem ingenii*, d'où l'abréviation *Regulae*. On peut consulter ce texte dans la traduction de J. Brunschwig, in Descartes, *Œuvres philosophiques*, publiées par F. Alquié, Paris, 1963, ou, pour une traduction « selon le lexique cartésien » et une annotation très détaillée, avec la collaboration de P. Costabel pour les notes mathématiques, dans la traduction de J.-L. Marion, La Haye, 1977. Nous nous référons à cette traduction.

3. Lettre à Huygens du 25 février 1637, éd. Alquié, I, p. 520. Cf. *Discours*, Première partie, p. 32 : « mon dessein n'est pas d'enseigner ici la méthode que chacun doit suivre pour bien conduire sa raison, mais seulement de faire voir en quelle sorte j'ai tâché de conduire la mienne ».

4. Ces textes sont achevés par Descartes en 1635 pour la *Dioptrique* et en 1636 pour les deux derniers. La *Dioptrique* et les *Météores* sont partiellement reproduits dans l'édition Alquié des œuvres de Descartes citée plus haut, au premier tome, p. 651-761. Les trois textes figurent dans AT VI, p. 79 à 515.

le précise le titre de 1637. Se voulant une simple « Préface ou Avis touchant la méthode[5] », le *Discours* invite à la considérer à l'œuvre dans les *Essais*, et à juger de sa valeur par son rôle dans la résolution de questions concernant l'optique, les phénomènes météorologiques ou la géométrie, plus que par son exposé théorique[6].

La métaphysique du *Discours de la méthode*, que Descartes expose dans la quatrième partie, est, elle aussi, assez succinctement développée, parce qu'elle est volontairement édulcorée par Descartes qui ne souhaitait pas en accentuer les thèses les plus extrêmes du fait de la large audience que promettait à l'ouvrage sa rédaction en langue française[7]. Descartes avoue avoir « omis tout à dessein et par considération[8] » un certain nombre de développements pourtant déjà en sa possession, puisque dans ce « petit traité de métaphysique [...] dont les principaux points sont de prouver *l'existence de Dieu et celle de nos âmes*, lorsqu'elles sont séparées du corps[9] », à la composition duquel il avait tra-

5. Cf. la lettre à Mersenne du 27 février 1637 (?), AT I, p. 349 : « Je ne mets pas *Traité de la méthode*, mais *Discours de la Méthode*, ce qui est le même que *Préface ou Avis touchant la Méthode*, pour montrer que je n'ai pas dessein de l'enseigner, mais seulement d'en parler. Car, comme on peut voir de ce que j'en dis, elle consiste plus en pratique qu'en théorie » ; la lettre à Vatier du 22 février 1638, AT I, p. 559 : « Mon dessein n'a point été d'enseigner toute ma *Méthode* dans le discours où je la propose, mais seulement d'en dire assez pour faire juger que les nouvelles opinions, qui se verraient dans la *Dioptrique* et dans les *Météores*, n'étaient point conçues à la légère, et qu'elles valaient peut-être la peine d'être examinées. »

6. Cf. la lettre à Vatier du 22 février 1638, AT I, p. 559-560, où Descartes semble admettre que c'est dans la lecture des *Essais* qu'on verra apparaître la nouveauté de la méthode : « Ce qui m'a fait joindre ces trois Traités au *Discours* qui les précède, est que je me suis persuadé qu'ils pourraient suffire pour faire que ceux qui les auront soigneusement examinés, et conférés avec ce qui a été ci-devant écrit des mêmes matières, jugent que je me sers de quelque autre Méthode que le commun, et qu'elle n'est peut-être pas des plus mauvaises. »

7. Cela est vrai tout particulièrement concernant le doute, cf. la lettre à Mersenne du 27 février 1637 (?), citée plus bas (Dossier, p. 155).

8. Lettre à Mersenne du 27 février 1637 (?), AT I, p. 350.

9. Lettre à Mersenne du 25 novembre 1630, AT I, p. 182.

vaillé en 1629, mais qu'il n'a pas publié, cela était « déduit assez au long[10] ». Nous ne disposons malheureusement pas de ce traité, mais les *Méditations métaphysiques* prétendent corriger les déficiences de l'exposé métaphysique de 1637[11].

Quant à la physique et à la médecine du *Discours*, elles réfèrent au *Monde ou Traité de la lumière*[12], achevé en 1633 mais non publié, et à son chapitre sur la nature de l'homme[13], qui sont simplement résumés brièvement dans la cinquième partie, et sans que Descartes en explique les fondements : la théorie cartésienne de la matière et les lois du mouvement n'y sont jamais abordées qu'allusivement.

Enfin, la morale que le *Discours de la méthode* développe « par provision », avant toute considération de métaphysique, ouvre par là même aux textes ultérieurs de Descartes sur ce thème, et en particulier aux lettres à Elisabeth du 4 août et du 15 septembre 1645[14] qui énoncent la morale que la philosophie cartésienne, une fois constituée, permet de fonder, à partir d'une reformulation des préceptes de la troisième partie du *Discours*.

Ainsi, quelle que soit la matière abordée par le *Discours*, il existe des textes de Descartes qui la développent et l'explicitent davantage, et qui, si on laisse de côté les questions de morale, lui préexistent, mais sans avoir été publiés par leur auteur. Cette caractéristique du *Discours* lui vient, pour une part, des circonstances de sa rédaction. En effet, l'intention de Descartes, au début des années 1630, n'était pas de publier un traité de méthode, mais un exposé de sa physique[15]. Les événements vont le contraindre à renoncer à ce projet,

10. Lettre à Mersenne du 27 février 1637 (?), AT I, p. 350.

11. Cf. Dossier III, 1.

12. Cf. édition Alquié, I, p. 315-480 et AT XI, p. 3-215.

13. Qu'on a pris l'habitude de désigner sous le nom de *Traité de l'homme*.

14. Cf. Dossier II, 2.

15. Descartes désigne souvent ce traité comme « < sa > physique » dans sa correspondance avec Mersenne. Cf. par exemple la lettre du 15 avril 1630, AT I, p. 140.

et à s'orienter vers la publication du *Discours de la méthode* et des *Essais*, qui ne proposent ni un traité entier de méthode, ni un exposé complet de physique.

Le manifeste d'une philosophie masquée

En 1633, Descartes a presque achevé *Le Monde*, quand il décide de renoncer à sa publication. Il a appris, au mois de novembre, la seconde condamnation de Galilée, en des circonstances qu'il relate ainsi à Mersenne : « Je m'étais proposé de vous envoyer mon Monde pour ces étrennes [...] mais je vous dirai que, m'étant fait enquérir ces jours à Leyde et à Amsterdam si le *Système du Monde* de Galilée n'y était point, à cause qu'il me semblait avoir appris qu'il avait été imprimé en Italie l'année passée, on m'a mandé qu'il était vrai qu'il avait été imprimé, mais que tous les exemplaires en avaient été brûlés à Rome au même temps, et lui condamné à quelque amende : ce qui m'a si fort étonné, que je me suis quasi résolu de brûler tous mes papiers, ou du moins de ne les laisser voir à personne. Car je ne me suis pu imaginer que lui qui est italien et même bien voulu du Pape, ainsi que j'entends, ait pu être criminalisé pour autre chose, sinon qu'il aura sans doute voulu établir le mouvement de la Terre ; lequel je sais bien avoir été autrefois censuré par quelques Cardinaux, mais je pensais avoir ouï dire que depuis on ne laissait pas de l'enseigner publiquement, même dans Rome [16] ; et je confesse que, s'il est faux, tous les fondements de ma philosophie le sont aussi, car il se démontre par eux évidemment. Et il est tellement lié avec toutes les parties de mon Traité, que je ne l'en saurais détacher, sans rendre le reste tout

16. Galilée avait déjà été condamné en 1616, pour avoir soutenu l'héliocentrisme et le mouvement de la terre, mais il était permis depuis 1620 de soutenir le mouvement de la terre, à condition que ce ne soit que par hypothèse. Après la seconde condamnation de Galilée, les autorités ecclésiastiques interdisent purement et simplement l'affirmation de cette thèse, même à titre de simple hypothèse.

défectueux [17]. Mais comme je ne voudrais pour rien du monde qu'il sortît de moi un discours, où il se trouvât le moindre mot qui fût désapprouvé de l'Église, aussi aimé-je mieux le supprimer que de le faire paraître estropié [18]. » Les circonstances interdisent désormais à Descartes de dévoiler les principes de sa physique.

Interrompu dans la réalisation de son projet initial, Descartes se consacre alors à la *Dioptrique*, traité d'optique auquel il travaillait depuis 1629, dont le projet s'était élargi en 1630 jusqu'à envelopper « quasi une physique tout entière » et à constituer un abrégé du *Monde* [19]. Désormais, il s'attache à la séparer du Monde, c'est-à-dire des fondements de la physique cartésienne, et envisage sa publication sous cette forme dès le premier semestre 1635 [20]. Au mois de novembre de la même année, il annonce à Huygens son intention de joindre les *Météores*, traité sur les phénomènes météorologiques, à la *Dioptrique*, et de composer une préface pour cet ouvrage, ce qui est la première allusion à ce qui deviendra le *Discours de la méthode* [21]. En mars 1636, Descartes décide que le futur ouvrage comprendra un troisième *Essai*, la *Géométrie*, et prévoit de donner pour titre à l'ensemble : « *Le Projet d'une Science universelle qui puisse élever notre nature à son plus haut degré de perfec-*

17. C'est pourtant ce que Descartes fera dans le *Discours* et les *Essais*.

18. Lettre à Mersenne, fin novembre 1633, AT I, p. 270-271.

19. Lettre à Mersenne, 25 novembre 1630, AT I, p. 179.

20. Lettre à Mersenne (?), juin ou juillet 1635, AT I, p. 322 : « Pour les lunettes, je vous dirai que, depuis la condamnation de Galilée, j'ai revu et entièrement achevé le Traité que j'en avais autrefois commencé ; et l'ayant entièrement séparé de mon Monde, je me propose de le faire imprimer seul dans peu de temps. »

21. Lettre à Huygens, 1er novembre 1635, AT I, p. 329-330 : « J'ai dessein d'ajouter les *Météores* à la *Dioptrique* et j'y ai travaillé assez diligemment les deux ou trois premiers mois de cet été […] mais […] sitôt que je n'ai plus espéré d'y rien apprendre, ne restant plus qu'à les mettre au net, il m'a été impossible d'en prendre la peine, non plus que de faire une Préface que j'y veux joindre ». Selon l'hypothèse de G. Gadoffre, « La chronologie des six parties », in *Le* Discours *et sa méthode* (N. Grimaldi, J.-L. Marion (éd.)), cette préface serait la Sixième partie du *Discours* tel que nous le connaissons.

tion. Plus la Dioptrique, les Météores, et la Géométrie, où les plus curieuses matières que l'auteur ait pu choisir, pour rendre preuve de la Science universelle qu'il propose, sont expliquées en telle sorte que ceux même qui n'ont point étudié les peuvent entendre[22]. » Bien que ce ne soit pas là le titre ultimement retenu, il nous renseigne assez bien sur le statut du *Discours*. Il s'agit d'offrir au lecteur la perspective de cette science universelle que la méthode rend possible, sans exposer la méthode pour elle-même, bien qu'elle fasse à la fois l'unité de la science et l'unité du *Discours*, et sans prétendre non plus présenter cette science totalement constituée, puisqu'il s'agit d'un simple projet. Les *Essais* sont là pour témoigner de l'avancée que représente cette science en cours de constitution, et de l'intérêt de la méthode qui la porte : « ce qui m'a fait joindre ces trois Traités au Discours qui les précède, est que je me suis persuadé qu'ils pourraient suffire, pour faire que ceux qui les auront soigneusement examinés et conférés avec ce qui a été ci-devant écrit des mêmes matières, jugent que je me sers de quelque autre Méthode que le commun, et qu'elle n'est peut-être pas des plus mauvaises ». Pour autant, les *Essais* sont moins des illustrations de la méthode, que l'exposé de certains de ses résultats, puisque, comme l'avoue Descartes : « Je n'ai pu […] montrer l'usage de cette Méthode dans les trois Traités que j'ai donnés, à cause qu'elle prescrit un ordre pour chercher les choses qui est assez différent de celui dont j'ai cru devoir user pour les expliquer. J'en ai toutefois montré quelque échantillon en décrivant l'arc-en-ciel[23]. » Il s'agit donc moins de juger de la méthode elle-même que de l'évaluer au vu de ses résultats. Pour cela, Descartes a choisi des questions qui répondent à deux critères : a) elles ne sont pas sujettes à controverses, b) elles n'exigent pas qu'il expose les principes de sa physique : « j'ai pensé qu'il m'était aisé de choisir quelques matières qui, sans être sujettes à beaucoup de controverses, ni m'obliger à

22. Lettre à Mersenne de mars 1636, AT I, p. 339.
23. Lettre à Vatier du 22 février 1638, AT I, p. 559.

déclarer davantage de mes principes que je ne désire, ne laisseraient pas de faire voir assez clairement ce que je puis, ou ne puis pas, dans les sciences[24] » ; ainsi en va-t-il par exemple de l'exposé de la loi de la réfraction qui doit régir la taille des verres pour corriger la vision dans la *Dioptrique*. Descartes tente donc de faire valoir sa méthode, en particulier dans le domaine de la physique, à partir de résultats qu'il a atteints, et sans dévoiler les principes qui les fondent.

Le *Discours de la méthode* est donc, dans l'esprit de Descartes, un manifeste de philosophie cartésienne, qui doit convaincre de la valeur de la méthode sur laquelle repose son projet de science universelle, lors même que son auteur sait que cette méthode l'a conduit à affirmer des thèses qui viennent d'être condamnées, et qu'il cherche à éviter toute controverse. Tout se passe donc comme si Descartes, contrarié dans le projet de publier la physique que sa méthode lui a permis de constituer, voulait néanmoins convaincre le public de la valeur de cette méthode, y compris dans le champ de la physique, et sans changer quoi que ce soit à sa philosophie. Il omet donc ce qui pourrait être en question, et globalement donne à son texte les caractères d'un discours et non ceux d'un traité. Il agit sans doute ainsi dans l'espoir que l'intérêt de ses découvertes convaincra de la pertinence des principes inavoués qui les fondent. De fait, dans la correspondance de Descartes, le ton change singulièrement, entre 1633 et 1638. En novembre 1633, Descartes parle de brûler lui-même sa physique ; en avril 1634, il garde l'espoir que *Le Monde* pourra paraître un jour : « ne voyant point encore que cette censure ait été autorisée par le Pape ni par le Concile, mais seulement par une Congrégation particulière des Cardinaux Inquisiteurs, je ne perds pas tout à fait espérance qu'il n'en arrive ainsi que des Antipodes, qui avaient été quasi en même sorte condamnés autrefois, et ainsi que mon Monde ne puisse voir le jour avec le temps[25] ». Enfin, en

24. Cf. ci-dessous, Sixième partie, p. 110.
25. Lettre à Mersenne d'avril 1634, AT I, p. 288.

février 1638, soit quelques mois après la parution du *Discours* et des *Essais*, il écrit : « Il n'est pas toujours nécessaire d'avoir des raisons *a priori* pour persuader une vérité ; et Thalès, ou qui que ce soit, qui a dit le premier que la lune reçoit sa lumière du soleil, n'en a donné sans doute aucune preuve, sinon qu'en supposant cela, on explique fort aisément toutes les diverses faces de sa lumière : ce qui a été suffisant pour faire que, depuis, cette opinion ait passé par le monde sans contredit. Et la liaison de mes pensées est telle, que j'ose espérer qu'on trouvera mes principes aussi bien prouvés par les conséquences que j'en tire, lorsqu'on les aura assez remarquées pour se les rendre familières, et les considérer toutes ensemble, que l'emprunt que la lune fait de sa lumière est prouvé par ses croissances et décroissances [26]. » Dans le *Discours de la méthode*, la philosophie cartésienne s'avance donc masquée, non pas au sens où elle serait travestie, mais parce qu'elle est en partie occultée. Les principes de la physique cartésienne y doivent passer en fraude.

En langue vulgaire, mais contre toute vulgarisation

Pourtant, ce n'est pas seulement la physique qui se trouve en partie masquée dans le *Discours de la méthode*, comme on l'a vu, c'est l'ensemble des thèmes abordés qui ne le sont que partiellement. Cela est l'indice que le caractère incomplet de l'exposé de la pensée cartésienne dans le *Discours* ne tient pas uniquement à la prudence dont Descartes fait preuve après la condamnation de Galilée et à la tactique qu'il adopte pour faire reconnaître la vérité de thèses condamnées. Si Descartes ne donne qu'un aperçu succinct et partiel des développements que la science universelle a déjà atteints, même quand il ne s'agit pas de physique, c'est que, indépendamment des circonstances de la publication du *Discours*, il ne tient pas à

26. Lettre à Vatier du 22 février 1638, AT I, p. 563-564.

dévoiler complètement sa philosophie. Descartes paraît ainsi avoir l'étrange projet de publier un manifeste de sa philosophie, tout en occultant une partie de ses thèses sans que le contexte de la publication l'y oblige.

Plusieurs motifs convergent ici pour expliquer la réticence de Descartes à dévoiler ses thèses. Le plus manifeste, parce qu'il revient souvent dans la correspondance des années 1637-1638, concerne seulement la métaphysique, et l'inconvénient qu'il y a à exposer en français des thèses qui pourraient égarer les esprits faibles. Le défaut principal que Descartes reconnaît à la quatrième partie du *Discours de la méthode* réside dans l'insuffisance de l'exposé du doute. En effet, l'exposé des raisons de douter y est extrêmement bref. Pourtant, le doute a, dans le *Discours*, une fonction bien plus étendue que celle qu'il aura dans les *Méditations*, puisque Descartes considère alors qu'il nous permet non seulement de faire ressortir l'exception du *cogito*, première certitude indubitable, mais encore d'établir la nature de notre âme comme substance pensante, n'ayant besoin d'aucune chose matérielle pour exister, ce que les *Méditations* et les *Réponses* dénieront explicitement[27]. La fonction du doute dans le *Discours* est donc de creuser l'écart entre les choses matérielles, dont nous pouvons douter, et notre propre être, dont nous ne pouvons pas douter, et qui dès lors ne peut pas être de nature matérielle. Or, cette démonstration ne va pas de soi, comme en témoignent les objections des correspondants, qui avouent leur difficulté à comprendre comment Descartes établit que l'âme est une substance distincte du corps. Descartes reconnaît la difficulté, mais considère que, pour affermir sa démonstration, il lui aurait fallu développer plus longuement les raisons que nous avons de douter de l'existence des choses matérielles. Or, cela n'était pas possible, selon lui, dans un livre écrit en langue vulgaire : « J'avoue qu'il y a un grand défaut dans l'écrit que vous avez vu… et que je n'y ai pas assez étendu les raisons par lesquelles je pense

27. Cf. par exemple Dossier III, 5, A.

prouver qu'il n'y a rien au monde qui soit de soi plus évident et plus certain que l'existence de Dieu et de l'âme humaine, pour les rendre faciles à tout le monde. Mais je n'ai osé tâché de le faire, d'autant qu'il m'eût fallu expliquer bien au long les plus fortes raisons des sceptiques, pour faire voir qu'il n'y a aucune chose matérielle de l'existence de laquelle on soit assuré, et par même moyen accoutumer le lecteur à détacher sa pensée des choses sensibles ; puis montrer que celui qui doute ainsi de tout ce qui est matériel, ne peut aucunement pour cela douter de sa propre existence ; d'où il suit que celui-là, c'est-à-dire l'âme, est un être, ou une substance qui n'est point du tout corporelle, et que sa nature n'est que de penser, et aussi qu'elle est la première chose qu'on puisse connaître certainement. Même, en s'arrêtant assez longtemps sur cette méditation, on acquiert peu à peu une connaissance très claire, et si j'ose ainsi parler intuitive, de la nature intellectuelle en général, l'idée de laquelle étant considérée sans limitation, est celle qui nous représente Dieu, et limitée, celle d'un Ange ou d'une âme humaine. Or il n'est pas possible de bien entendre ce que j'ai dit après de l'existence de Dieu si ce n'est qu'on commence par là [...]. Mais j'ai eu peur que cette entrée, qui eût semblé d'abord vouloir introduire les raisons des sceptiques, ne troublât les plus faibles esprits, principalement à cause que j'écrivais en langue vulgaire [28]. » Tout en prétendant faire connaître sa métaphysique, Descartes refuse donc

28. Lettre à *** de fin mai 1637, AT I, p. 353. La métaphysique du *Discours* pose un problème, dans la mesure où le traité de métaphysique de 1629 ne nous est pas parvenu. Nous ne disposons donc d'aucun texte où la première métaphysique de Descartes soit pleinement développée. Il devient dès lors difficile de faire le départ entre ce qui est absent du *Discours* parce que masqué, et ce qui en est absent parce que relevant d'un état ultérieur du développement de la pensée métaphysique de Descartes. D'où la discussion relative à l'absence de l'argument du Dieu trompeur et à la portée du doute dans le *Discours* : cet argument est-il masqué par Descartes dans le *Discours*, parce que trop radical pour le public auquel il s'adresse (c'est la thèse de G. Rodis-Lewis) ou bien Descartes ne l'a-t-il pas encore conçu à l'époque (c'est la thèse de F. Alquié) ?

de la mettre totalement en lumière en en dévoilant les thèses les plus radicales.

Cette attitude en métaphysique révèle un trait plus général de l'auteur du *Discours*. Il s'agit de sa réticence à vulgariser sa philosophie, surprenante quand on connaît l'ambition qui habitera Descartes sept ans plus tard, de donner à sa philosophie une forme scolaire en en composant un manuel, les *Principes de la philosophie*, afin de destituer la philosophie commune et de la remplacer dans l'enseignement. Cette réticence fait toute l'ambiguïté de l'intention qui préside à la publication du *Discours* et des *Essais*. Descartes s'en explique d'ailleurs lui-même dans la sixième partie de son *Discours*. Pourquoi faire connaître le projet de sa philosophie ? Il s'agit en particulier de convaincre de la valeur et de l'utilité que peut avoir cette science universelle, afin d'obtenir des aides financières qui pourraient permettre à l'auteur de faire pratiquer les expériences nécessaires au développement de sa médecine, dans l'intérêt de tous.

Pourquoi ne pas la dévoiler totalement ? Il s'agit, non seulement, d'éviter toute condamnation, ainsi que les controverses, qui ne font jamais qu'entraver le développement de la connaissance vraie, telles les disputes des scolastiques, et auxquelles la philosophie cartésienne se trouve particulièrement exposée parce qu'elle se démarque de la philosophie commune dont elle dénonce la confusion et le caractère seulement probable. Mais Descartes craint aussi la dénaturation de sa philosophie qui résulterait d'un exposé plus détaillé de ses thèses : « on ne saurait si bien concevoir une chose et la rendre sienne, lorsqu'on l'apprend de quelque autre, que lorsqu'on l'invente soi-même [...]. Et je ne m'étonne aucunement des extravagances qu'on attribue à tous ces anciens philosophes, dont nous n'avons point les écrits, ni ne juge pas pour cela que leurs pensées aient été fort déraisonnables, vu qu'ils étaient des meilleurs esprits de leurs temps, mais seulement qu'on nous les a mal rapportées. Comme on voit aussi que presque jamais il n'est arrivé qu'aucun de leurs sectateurs les ait surpassés [...]. Ils sont comme le lierre, qui ne tend point à monter plus haut que les arbres qui le soutiennent, et même souvent qui redescend après qu'il est parvenu jusques à leur faîte ; car il me semble aussi que ceux-là redescendent, c'est-à-dire se rendent en quelque façon moins savants que s'ils s'abstenaient d'étudier, lesquels, non contents de savoir tout ce qui est intelligiblement expliqué dans leur auteur, veulent, outre cela, y trouver la solution de plusieurs difficultés, dont il ne dit rien et auxquelles il n'a peut-être jamais pensé [29]. » La philosophie de Descartes n'a selon lui rien à gagner à susciter des disciples. Comme il en fera l'expérience avec Regius dans les années 1640, et comme il l'écrivait déjà à Beeckman en 1630, il estime que « tout ce qu'on transporte du lieu de sa naissance en un autre se corrige quelquefois, mais le plus souvent se corrompt, et jamais il ne conserve tellement tous les avantages que le lieu de sa naissance lui donne qu'il ne soit très facile de reconnaître qu'il a été transporté d'ailleurs [30] ». Le meilleur des disciples n'est donc certainement pas celui qui apprend la philosophie de Descartes à la lecture de ses œuvres, mais celui qui la redécouvre par le développement de sa lumière naturelle, sans référence à une quelconque autorité. À l'objection qu'il se fait à lui-même d'empêcher par là que d'autres développent sa philosophie plus avant, et de nuire ainsi à l'intérêt commun, il rétorque que « s'ils sont capables de passer plus outre, que je n'ai fait, ils le seront aussi, à plus forte raison, de trouver d'eux-

29. Cf. ci-dessous, *Discours*, Sixième partie, p. 105-106.

30. Lettre à Beeckman du 17 octobre 1630, éd. Alquié, I, p. 276-277. Cf. aussi dans la Sixième partie du présent *Discours*, p. 111, à propos des suppositions proposées dans la *Dioptrique* et les *Météores* : « je ne les ai nommées des suppositions, qu'afin qu'on sache que je pense les pouvoir déduire de ces premières vérités que j'ai ci-dessus expliquées, mais que j'ai voulu expressément ne le pas faire, pour empêcher que certains esprits, qui s'imaginent qu'ils savent en un jour tout ce qu'un autre a pensé en vingt années, sitôt qu'il en a dit deux ou trois mots [...] ne puissent de là prendre occasion de bâtir quelque philosophie extravagante sur ce qu'ils croiront être mes principes et qu'on m'en attribue la faute ».

mêmes tout ce que je pense avoir trouvé ». Descartes ne se soucie donc absolument pas de permettre à quiconque d'apprendre sa philosophie à partir de l'exposé qu'il en propose dans le *Discours*. Descartes expose au contraire une philosophie qu'il se réserve : « S'il y a au monde quelque ouvrage qui ne puisse être si bien achevé par aucun autre que par le même qui l'a commencé, c'est celui auquel je travaille. » Bien que rédigé en français, le *Discours* n'a donc rien d'une entreprise de vulgarisation de la philosophie cartésienne.

L'idée d'une science universelle

Cette antinomie entre l'ambition de Descartes de faire connaître et estimer sa philosophie et sa réticence à en permettre l'appropriation à ses lecteurs se dissipe quand on considère ce qui aux yeux de Descartes est le propre de sa philosophie. Réagissant contre la philosophie commune, fondée sur le principe d'autorité et en proie à d'innombrables controverses, qui manifestent le caractère simplement probable de toutes les thèses qui s'y affrontent[31], Descartes n'entreprend de philosopher que pour redonner ses droits à la raison dans le savoir humain. L'exercice du bon sens, ou raison, doit être la seule finalité de la recherche de la connaissance comme l'établit la première des *Regulae*[32]. C'est cette finalité qui justifie la place prééminente de la méthode dans la réflexion cartésienne, puisque le bon usage de la raison suppose la méthode : « la diversité de nos opinions ne vient pas de ce que les uns sont plus raison-

31. Cf. *Discours*, Première partie, p. 37 : « Je ne dirai rien de la philosophie, sinon que, voyant qu'elle a été cultivée par les plus excellents esprits qui aient vécu depuis plusieurs siècles, et que néanmoins il ne s'y trouve encore aucune chose dont on ne dispute, et par conséquent qui ne soit douteuse [...] » ; Sixième partie, p.104-105 : « je n'ai jamais remarqué [...] que, par le moyen des disputes qui se pratiquent dans les écoles, on ait découvert aucune vérité qu'on ignorât auparavant ».

32. Cf. Dossier I, 2.

nables que les autres, mais seulement de ce que nous conduisons nos pensées par diverses voies [...] ; ce n'est pas assez d'avoir l'esprit bon, mais le principal est de l'appliquer bien[33]. » Or, la raison n'est autre chose que la faculté de discerner le vrai et le faux[34]. Redonner ses droits à la raison dans la connaissance, c'est donc refuser de s'en tenir à la simple vraisemblance où vrai et faux sont indistincts. Descartes se propose donc de faire de la philosophie, grâce à la méthode, un savoir certain, autrement dit une science.

La science universelle dont Descartes fait le projet, et dont sa philosophie doit être la réalisation, doit en effet s'entendre strictement comme la *science* de tout ce qu'on peut savoir. C'est la modalité épistémique du savoir humain qui est en jeu dans cette expression. Descartes se propose d'élever la connaissance humaine à la certitude de la science, telle qu'elle est définie au début de la Règle II : « Toute science est une connaissance certaine et évidente[35]. » Cette certitude de la connaissance caractérisait jusque-là les seules mathématiques pures que sont la géométrie et l'arithmétique. Le projet de science universelle se confond donc avec l'idée d'élever le savoir humain à la certitude de la géométrie, de ne rien admettre qui ne soit aussi certain que les démonstrations des géomètres. Le *Discours de la méthode* est donc le manifeste d'une philosophie fondée sur l'exigence de la certitude. Descartes revendique pour la philosophie une certitude équivalente à celle que l'on rencontre dans les mathématiques pures.

Cette ambition de faire de la philosophie une science n'est possible que parce que tout le savoir humain est logé à la même enseigne. L'intuition remarquable de Descartes, telle qu'il l'expose magistralement dans la

33. *Discours*, Première partie, p. 29-30. Cf. aussi Seconde partie, p. 53 : « ce qui me contentait le plus de cette méthode était que, par elle, j'étais assuré d'user en tout de ma raison ».

34. Cf. *Discours*, Première partie, p. 29 : « la puissance de bien juger, et distinguer le vrai d'avec le faux, qui est proprement ce qu'on nomme le bon sens ou la raison [...] ».

35. *Regulae*, p. 3.

Règle I, est qu'on ne doit pas distinguer les sciences selon la diversité de leurs objets, mais au contraire les unifier en les référant à l'unité de la raison qui les constitue[36]. C'est la même et unique rationalité qui est à l'œuvre dans l'ensemble du savoir humain. Dès lors, si la raison peut atteindre la certitude dans les mathématiques, il n'y a pas lieu de se contenter de la simple probabilité dans les autres domaines, en particulier en philosophie. La raison ne reçoit pas plus de diversité de la variété des objets auxquels elle s'applique que le soleil de la variété des choses qu'il illumine. Tout ce que la raison peut atteindre est donc susceptible d'une certitude au moins égale à celle de la géométrie. Si l'exigence de certitude se fonde sur la raison, alors elle doit s'étendre à tout ce qu'atteint la raison. La science visée a donc l'universalité du savoir humain, elle comprend tout ce qui peut tomber sous les prises de la raison humaine.

C'est cette exigence de rationalisation du savoir humain, au détriment de la sensibilité, de l'imagination et de la mémoire qui explique que le *Discours* puisse prétendre tout à la fois manifester et occulter la pensée cartésienne. En effet, la science se fonde sur l'exercice du jugement. Descartes la distingue souvent de l'histoire, qui n'est que la mémorisation d'une connaissance[37]. Cherchant à élever la philosophie au statut de science, Descartes ne souhaite pas que sa propre

36. Cf. Dossier I, 2.

37. Les *Regulae* précisaient déjà que « jamais […] nous ne serons parvenus à être […] Philosophes, si nous avons lu tous les arguments de Platon et d'Aristote, sans pourtant pouvoir porter un jugement ferme sur les choses < qui sont > proposées : car de la sorte, nous ne paraîtrions pas avoir appris des sciences, mais des histoires », Règle III, p. 7 ; cf. aussi la lettre à Hogelande du 8 février 1640, éd. Alquié, II, p. 159 : « J'ai l'habitude de distinguer deux choses en mathématiques : l'histoire et la science. J'entends par histoire tout ce qui a déjà été découvert et se trouve dans les livres. Mais, par science, j'entends l'habileté à résoudre toutes les questions, et à découvrir par sa propre industrie tout ce que l'esprit humain peut trouver dans cette science ; et celui qui possède la science n'attend pas grand-chose d'autrui […]. »

philosophie devienne objet d'histoire, autrement dit, qu'elle nous dispense de faire usage de notre raison. Ce qu'il désire c'est que sa philosophie provoque à l'exercice de notre jugement, et non au travail de notre mémoire. Il n'y a donc pas d'antinomie entre le fait d'exposer la philosophie cartésienne, et le fait de n'en pas délivrer toutes les clefs, si on se rappelle que le projet qui anime cette philosophie est celui d'une science universelle, autrement dit celui d'un usage généralisé de notre raison. Pour la même raison, il n'y a pas non plus d'antinomie entre le fait d'écrire en langue vulgaire et celui de prétendre ne pas vulgariser sa pensée, tout au contraire : « si j'écris en français, qui est la langue de mon pays, plutôt qu'en latin, qui est la langue de mes précepteurs, c'est à cause que j'espère que ceux qui ne se servent que de leur raison naturelle toute pure, jugeront mieux de mes opinions, que ceux qui ne croient qu'aux livres anciens[38] ». S'adresser à ceux qui n'ont pas reçu d'instruction, c'est précisément en appeler au bon sens contre l'autorité, à la raison et non à la mémoire. Ce n'est donc aucunement prétendre à la vulgarisation d'un ensemble de thèses. Le caractère elliptique des différents exposés du *Discours* est donc en parfaite harmonie avec l'ambition qui en fait l'unité, d'être le projet d'une « science universelle ». Dans ce qu'il dit, autant que dans ce qu'il cache, le *Discours* est un appel à user de notre raison, un manifeste des droits de la raison contre toute tradition et toute autorité.

Laurence RENAULT.

38. *Discours*, Sixième partie, p. 112.

DISCOURS DE LA MÉTHODE

DISCOURS DE LA MÉTHODE

POUR BIEN CONDUIRE SA RAISON
ET CHERCHER LA VÉRITÉ
DANS LES SCIENCES

Si ce discours semble trop long pour être tout lu en une fois, on le pourra distinguer en six parties. Et, en la première, on trouvera diverses considérations touchant les sciences. En la seconde, les principales règles de la méthode que l'auteur a cherchée. En la 3, quelques-unes de celles de la morale qu'il a tirée de cette méthode. En la 4, les raisons par lesquelles il prouve l'existence de Dieu et de l'âme humaine, qui sont les fondements de sa métaphysique. En la 5, l'ordre des questions de physique qu'il a cherchées, et particulièrement l'explication du mouvement du cœur et de quelques autres difficultés qui appartiennent à la médecine, puis aussi la différence qui est entre notre âme et celle des bêtes. Et en la dernière, quelles choses il croit être requises pour aller plus avant en la recherche de la nature qu'il n'a été, et quelles raisons l'ont fait écrire.

PREMIÈRE PARTIE

Le bon sens[1] est la chose du monde la mieux partagée : car chacun pense en être si bien pourvu, que ceux même qui sont les plus difficiles à contenter en toute autre chose, n'ont point coutume d'en désirer plus qu'ils en ont[2]. En quoi il n'est pas vraisemblable que tous se trompent ; mais plutôt cela témoigne que la puissance de bien juger, et distinguer le vrai d'avec le faux, qui est proprement ce qu'on nomme le bon sens ou la raison, est naturellement égale en tous les hommes ; et ainsi que la diversité de nos opinions ne vient pas de ce que les uns sont plus raisonnables que les autres, mais seulement de ce que nous conduisons nos pensées par diverses

1. Comme le précise la suite du texte, le bon sens n'est autre que notre puissance de bien juger, ou raison. Cette notion est d'origine stoïcienne, cf. Cicéron, *Tusculanes*, V, 67 ; Sénèque, *De vita beata*, 2. On la rencontre déjà dans la première des *Regulae*, identifiée à la sagesse universelle. Cf. Dossier I, 2.

2. Cf. Montaigne, *Essais*, II, chap. 17. Cf. *L'Entretien avec Burman*, édition J.-M. Beyssade, p. 134, qui souligne la dimension ironique de ce passage, à laquelle on ne doit pourtant pas le réduire : « Nombreux je l'avoue ceux qui se reconnaissent inférieurs à d'autres pour l'esprit, la mémoire, etc. ; mais pour l'aptitude à prendre parti en portant un jugement, chacun pense en être assez excellement pourvu pour être sur ce point l'égal de tous les autres. Car chacun se plaît au parti qu'il prend, et *autant de têtes, autant d'avis*. Or, c'est là justement ce que l'auteur entend ici par bon sens. »

voies[1] et ne considérons pas les mêmes choses. Car ce n'est pas assez d'avoir l'esprit bon, mais le principal est de l'appliquer bien[2]. Les plus grandes âmes sont capables des plus grands vices, aussi bien que des plus grandes vertus ; et ceux qui ne marchent que fort lentement, peuvent avancer beaucoup davantage, s'ils suivent toujours le droit chemin, que ne font ceux qui courent, et qui s'en éloignent[3].

Pour moi, je n'ai jamais présumé que mon esprit fût en rien plus parfait que ceux du commun ; même j'ai souvent souhaité d'avoir la pensée aussi prompte, ou l'imagination aussi nette et distincte, ou la mémoire aussi ample, ou aussi présente, que quelques autres. Et je ne sache point de qualités que celles-ci, qui servent à la perfection de l'esprit : car pour la raison ou le sens, d'autant qu'elle est la seule chose qui nous rend hommes, et nous distingue des bêtes, je veux croire qu'elle est tout entière en chacun, et suivre en ceci l'opinion commune des philosophes[4], qui disent qu'il n'y a du plus et du moins qu'entre les *accidents*, et non

1. Métaphore du chemin qui renvoie au sens étymologique du terme « méthode ». Cf. la lettre à Mersenne du 16 octobre 1639, AT II, p. 598 : « Tous les hommes ayant une même lumière naturelle, ils semblent devoir tous avoir les mêmes notions [...] mais [...] il n'y a presque personne qui se serve bien de cette lumière [...]. » Sur cette importance de la méthode, qui tend à égaliser la capacité des différents esprits, cf. la *Lettre-préface à l'édition française des* Principes, AT IX, p. 12 : « J'ai pris garde en examinant le naturel de plusieurs esprits qu'il n'y en a presque point de si grossiers ni de si tardifs qu'ils ne fussent capables d'entrer dans les bons sentiments et même d'acquérir toutes les plus hautes sciences, s'ils étaient conduits comme il faut. » Cf. Dossier I, 6.

2. Cf. l'énoncé de la quatrième des *Regulae*, p. 10 : « La méthode est nécessaire pour rechercher la vérité des choses. » Cf. Dossier I, 5.

3. Comparaison qui se trouve chez Sénèque, *De vita beata*, I, 1 qui dit, à propos de la vie heureuse : « On s'en éloigne d'autant plus qu'on s'y porte avec plus d'ardeur, quand on s'est trompé de chemin ; que celui-ci nous conduise en sens contraire et notre élan même augmente la distance. »

4. Allusion à la scolastique d'inspiration aristotélicienne. La forme est l'essence d'une espèce, les accidents sont des déterminations qui appartiennent aux individus sans relever de leur essence spécifique et qui peuvent donc varier d'un individu à l'autre.

point entre les *formes*, ou natures, des *individus* d'une même *espèce*.

Mais je ne craindrai pas de dire que je pense avoir eu beaucoup d'heur, de m'être rencontré dès ma jeunesse en certains chemins, qui m'ont conduit à des considérations et à des maximes, dont j'ai formé une méthode [1], par laquelle il me semble que j'ai moyen d'augmenter par degrés ma connaissance, et de l'élever peu à peu au plus haut point [2], auquel la médiocrité de mon esprit et la courte durée de ma vie lui pourront permettre d'atteindre. Car j'en ai déjà recueilli de tels fruits qu'encore qu'aux jugements que je fais de moi-même, je tâche toujours de pencher vers le côté de la défiance, plutôt que vers celui de la présomption ; et que, regardant d'un œil de philosophe les diverses actions et entreprises de tous les hommes, il n'y en ait quasi aucune qui ne me semble vaine et inutile ; je ne laisse pas de recevoir une extrême satisfaction du progrès que je pense avoir déjà fait en la recherche de la vérité, et de concevoir de telles espérances pour l'avenir, que si, entre les occupations des hommes purement hommes [3], il y en a quelqu'une qui soit solidement bonne [4] et importante, j'ose croire que c'est celle que j'ai choisie.

1. Cf. Dossier I, 4.

2. Ce passage rappelle une partie du titre que Descartes envisageait de donner au *Discours*, en mars 1636. Cf. Présentation. Lui-même faisait déjà écho à un passage de la Règle II, p. 5, qui énonce l'ambition des *Regulae* : « Si nous voulons sérieusement nous proposer à nous-mêmes des règles à l'aide desquelles nous puissions nous élever au plus haut degré de la connaissance humaine [...]. »

3. C'est-à-dire les occupations qui ne présupposent que les facultés naturelles de l'homme, et n'ont pas recours à la révélation.

4. Par cette expression, Descartes désigne un bien qui nous peut procurer un contentement durable et exempt de toute désillusion. Cf. la correspondance avec Elisabeth de 1645, par exemple la lettre à Elisabeth du 1er septembre 1645, AT IV, p. 284 : « ... chaque plaisir se devrait mesurer par la grandeur de la perfection qui le produit [...]. Mais souvent la passion nous fait croire certaines choses beaucoup meilleures et plus désirables qu'elles ne sont ; puis quand nous avons pris bien de la peine à les acquérir, et perdu cependant l'occasion de posséder d'autres biens plus véritables, la jouissance nous en

Toutefois il se peut faire que je me trompe, et ce n'est peut-être qu'un peu de cuivre et de verre que je prends pour de l'or et des diamants. Je sais combien nous sommes sujets à nous méprendre en ce qui nous touche, et combien aussi les jugements de nos amis nous doivent être suspects, lorsqu'ils sont en notre faveur. Mais je serai bien aise de faire voir, en ce discours, quels sont les chemins que j'ai suivis, et d'y représenter ma vie comme en un tableau[1], afin que chacun en puisse juger, et qu'apprenant du bruit commun les opinions qu'on en aura, ce soit un nouveau moyen de m'instruire, que j'ajouterai à ceux dont j'ai coutume de me servir.

Ainsi, mon dessein n'est pas d'enseigner ici la méthode que chacun doit suivre pour bien conduire sa raison, mais seulement de faire voir en quelle sorte j'ai tâché de conduire la mienne[2]. Ceux qui se mêlent de donner des préceptes, se doivent estimer plus habiles que ceux auxquels ils les donnent ; et s'ils manquent en la moindre chose, ils en sont blâmables. Mais, ne proposant cet écrit que comme une histoire, ou, si vous l'aimez mieux, que comme une fable, en laquelle, parmi quelques exemples qu'on peut imiter, on en trou-

---

fait connaître les défauts, et de là viennent les dédains, les regrets et les repentirs ». Cf. aussi la lettre à Elisabeth du 4 août 1645, AT IV, p. 266-267 : « la vertu seule est suffisante pour nous rendre contents en cette vie. Mais néanmoins, pource que lorsqu'elle n'est pas éclairée par l'entendement, elle peut être fausse, c'est-à-dire que la volonté et résolution de bien faire nous peut porter à des choses mauvaises, quand nous les croyons bonnes, le contentement qui en revient n'est pas solide ». Sur le plaisir issu de la connaissance de la vérité, cf. la Règle I, p. 2 : « ce plaisir, qu'on trouve dans la contemplation du vrai, et qui est presque le seul bonheur dans cette vie qu'on goûte sans mélange et qu'aucune douleur ne vient troubler ».

1. Cf. Montaigne, *Essais*, II, chap. 9. Cf. la lettre de Guez de Balzac à Descartes du 30 mars 1628, AT I, p. 570 : « Au reste Monsieur, souvenez-vous, s'il vous plaît, *De l'histoire de votre esprit*. Elle est attendue de tous nos amis. » Il pourrait s'agir là d'un texte qui aurait été repris et sans doute retravaillé lors de la rédaction du *Discours*.

2. Cf. la lettre à Mersenne de mars 1637 citée dans la Présentation, où Descartes explique le titre définitif du *Discours*.

vera peut-être aussi plusieurs autres qu'on aura raison de ne pas suivre[1], j'espère qu'il sera utile à quelques-uns, sans être nuisible à personne, et que tous me sauront gré de ma franchise.

J'ai été nourri aux lettres[2] dès mon enfance, et pource qu'on me persuadait que, par leur moyen, on pouvait acquérir une connaissance claire et assurée de tout ce qui est utile à la vie, j'avais un extrême désir de les apprendre. Mais, sitôt que j'eus achevé tout ce cours d'études, au bout duquel on a coutume d'être reçu au rang des doctes, je changeai entièrement d'opinion. Car je me trouvais embarrassé de tant de doutes et d'erreurs, qu'il me semblait n'avoir fait autre profit, en tâchant de m'instruire, sinon que j'avais découvert de plus en plus mon ignorance[3]. Et néanmoins, j'étais en l'une des plus célèbres écoles de l'Europe[4], où je pensais qu'il devait y avoir de savants hommes, s'il y en avait en aucun endroit de la terre. J'y avais appris tout ce que les autres y apprenaient ; et même, ne m'étant pas contenté des sciences qu'on nous enseignait, j'avais parcouru tous les livres, traitant de celles qu'on estime les plus curieuses et les plus rares[5], qui avaient pu tomber entre mes mains. Avec cela, je savais les jugements que les autres faisaient de moi ; et je ne voyais point qu'on m'estimât inférieur à mes condisciples, bien qu'il y en eût déjà entre eux quelques-uns, qu'on destinait à remplir les places de nos maîtres. Et enfin

1. Comme le doute, par exemple, ainsi que le souligne Descartes un peu plus loin : « La seule résolution de se défaire de toutes les opinions qu'on a reçues auparavant en sa créance, n'est pas un exemple que chacun doive suivre », cf. Seconde partie, p. 45.

2. Cela désigne le savoir qu'on apprend dans les livres.

3. Cf. Règle II, p. 3 : « Aussi vaut-il mieux n'étudier jamais que de s'occuper d'objets si difficiles que, ne pouvant y distinguer le vrai du faux, nous soyons contraints d'admettre pour certaines des choses douteuses, car dans ces questions l'espoir d'augmenter son savoir n'est pas si grand que le risque de le diminuer. »

4. Le collège jésuite Henri-IV, de La Flèche.

5. Il s'agit des sciences occultes : alchimie, astrologie, magie, etc. Descartes les appelle aussi, dans la suite du texte, les « mauvaises doctrines ».

notre siècle me semblait aussi fleurissant, et aussi fertile en bons esprits, qu'ait été aucun des précédents. Ce qui me faisait prendre la liberté de juger par moi de tous les autres, et de penser qu'il n'y avait aucune doctrine dans le monde qui fût telle qu'on m'avait auparavant fait espérer.

Je ne laissais pas toutefois d'estimer les exercices, auxquels on s'occupe dans les écoles. Je savais que les langues, qu'on y apprend, sont nécessaires pour l'intelligence des livres anciens ; que la gentillesse [1] des fables réveille l'esprit ; que les actions mémorables des histoires le relèvent, et qu'étant lues avec discrétion, elles aident à former le jugement ; que la lecture de tous les bons livres est comme une conversation avec les plus honnêtes gens des siècles passés, qui en ont été les auteurs, et même une conversation étudiée, en laquelle ils ne nous découvrent que les meilleures de leurs pensées ; que l'éloquence a des forces et des beautés incomparables ; que la poésie a des délicatesses et des douceurs très ravissantes ; que les mathématiques ont des inventions très subtiles, et qui peuvent beaucoup servir, tant à contenter les curieux qu'à faciliter tous les arts [2], et diminuer le travail des hommes ; que les écrits qui traitent des mœurs contiennent plusieurs enseignements et plusieurs exhortations à la vertu qui sont fort utiles ; que la théologie enseigne à gagner le ciel ; que la philosophie donne moyen de parler vraisemblablement de toutes choses, et se faire admirer des moins savants [3] ; que la jurisprudence, la médecine et les autres sciences [4] apportent des honneurs et des richesses à ceux qui les cultivent ; et enfin, qu'il est bon

1. C'est-à-dire l'agrément.

2. Il s'agit des arts mécaniques, vers lesquels était tourné l'enseignement des mathématiques chez les jésuites.

3. Sous couvert d'une justification des « exercices auxquels on s'occupe dans les écoles », il s'agit là d'une condamnation très sévère de la philosophie telle qu'elle a été pratiquée avant Descartes, qui dénonce à la fois son absence de certitude et la recherche de la vaine gloire qui l'anime.

4. Les sciences occultes.

de les avoir toutes examinées, même les plus superstitieuses et les plus fausses, afin de connaître leur juste valeur et se garder d'en être trompé[1].

Mais je croyais avoir déjà donné assez de temps aux langues, et même aussi à la lecture des livres anciens, et à leurs histoires, et à leurs fables. Car c'est quasi le même de converser avec ceux des autres siècles, que de voyager[2]. Il est bon de savoir quelque chose des mœurs de divers peuples, afin de juger des nôtres plus sainement, et que nous ne pensions pas que tout ce qui est contre nos modes soit ridicule, et contre raison, ainsi qu'ont coutume de faire ceux qui n'ont rien vu. Mais lorsqu'on emploie trop de temps à voyager, on devient enfin étranger en son pays ; et lorsqu'on est trop curieux des choses qui se pratiquaient aux siècles passés, on demeure ordinairement fort ignorant de celles qui se pratiquent en celui-ci. Outre que les fables font imaginer plusieurs événements comme possibles qui ne le sont point[3] ; et que même les histoires les plus fidèles, si elles ne changent ni n'augmentent la valeur des choses, pour les rendre plus dignes d'être lues, au moins en omettent-elles presque toujours les plus basses et moins illustres circonstances : d'où vient que le reste ne paraît pas tel qu'il est, et que ceux qui règlent leurs mœurs par les exemples qu'ils en tirent, sont sujets à tomber dans les extravagances des paladins[4] de nos romans et à concevoir des desseins qui passent leurs forces.

1. Cf. *La Recherche de la vérité*, AT X, p. 504 : à propos des artifices de la magie : « J'estime qu'il est utile de les savoir, non pas pour s'en servir, mais afin que notre jugement ne puisse être prévenu par l'admiration d'aucune chose qu'il ignore. »

2. Cf. Charron, *De la sagesse*, III, 14.

3. En ce sens, elles contribuent à dérégler nos désirs. Cf. *Passions de l'âme*, art. 144, AT XI, p. 436 : « C'est particulièrement ce Désir que nous devons avoir soin de régler, et c'est en cela que consiste la principale utilité de la Morale » ; or, précise l'article 145, AT XI, p. 438 : « Nous ne pouvons désirer que ce que nous estimons en quelque façon être possible. »

4. C'est-à-dire les héros.

J'estimais fort l'éloquence, et j'étais amoureux de la poésie[1] ; mais je pensais que l'une et l'autre étaient des dons de l'esprit, plutôt que des fruits de l'étude. Ceux qui ont le raisonnement le plus fort, et qui digèrent[2] le mieux leurs pensées, afin de les rendre claires et intelligibles, peuvent toujours le mieux persuader ce qu'ils proposent, encore qu'ils ne parlassent que bas breton, et qu'ils n'eussent jamais appris de rhétorique. Et ceux qui ont les inventions les plus agréables, et qui les savent exprimer avec le plus d'ornement et de douceur, ne laisseraient pas d'être les meilleurs poètes, encore que l'art poétique leur fût inconnu.

Je me plaisais surtout aux mathématiques, à cause de la certitude et de l'évidence de leurs raisons[3] ; mais je ne remarquais point encore leur vrai usage[4], et, pensant qu'elles ne servaient qu'aux arts mécaniques, je m'étonnais de ce que, leurs fondements étant si fermes et si solides, on n'avait rien bâti dessus de plus relevé. Comme, au contraire, je comparais les écrits des anciens païens[5], qui traitent des mœurs, à des palais fort superbes et fort magnifiques, qui n'étaient bâtis que sur du sable et sur de la boue. Ils élèvent fort haut les vertus, et les font paraître estimables par-dessus toutes les choses qui sont au monde[6] ; mais ils n'enseignent pas assez à les connaître, et souvent ce qu'ils

1. Cf. les *Cogitationes privatae* : « Il peut paraître étonnant que les pensées profondes se rencontrent plutôt dans les écrits des poètes que dans ceux des philosophes. La raison en est que les poètes ont écrit sous l'empire de l'enthousiasme et de la force de l'imagination. Il y a en nous des semences de science, comme en un silex ; les philosophes les extraient par raison ; les poètes les arrachent par imagination : elles brillent alors davantage », AT X, p. 217, 17. Cf. aussi Dossier I, 1.

2. Mettre en ordre. La traduction latine est : *ordine disponunt*.

3. Cf. Règle II, p. 3 : « L'arithmétique et la géométrie existent de loin plus certaines que toutes les autres disciplines. »

4. Allusion à la *mathesis universalis* des *Regulae*, cf. Dossier I, 7, C et I, 8.

5. Il s'agit des stoïciens.

6. Allusion à la thèse stoïcienne selon laquelle le souverain bien réside dans la vertu et elle seule. Cf. Cicéron, *De finibus bonorum et malorum*, III, III, 10-11 ; Sénèque, *De vita beata*, IX, 3-4.

appellent d'un si beau nom, n'est qu'une insensibilité, ou un orgueil, ou un désespoir, ou un parricide[1].

Je révérais notre théologie, et prétendais, autant qu'aucun autre, à gagner le ciel ; mais ayant appris, comme chose très assurée, que le chemin n'en est pas moins ouvert aux plus ignorants qu'aux plus doctes, et que les vérités révélées, qui y conduisent, sont au-dessus de notre intelligence, je n'eusse osé les soumettre à la faiblesse de mes raisonnements, et je pensais que pour entreprendre de les examiner et y réussir, il était besoin de quelque extraordinaire assurance du ciel, et d'être plus qu'homme[2].

Je ne dirai rien de la philosophie, sinon que, voyant qu'elle a été cultivée par les plus excellents esprits qui aient vécu depuis plusieurs siècles, et que néanmoins il ne s'y trouve encore aucune chose dont on ne dispute[3], et par conséquent qui ne soit douteuse[4], je n'avais point assez de présomption pour espérer d'y

1. Descartes fait allusion ici à différents traits de la doctrine stoïcienne de la sagesse. Le thème de l'insensibilité réfère à la condamnation stoïcienne des passions et au thème de l'impassibilité du sage (Cf. Cicéron, *Tusculanes*, IV, XV, 34-37). Descartes écrira à Elisabeth, le 18 mai 1645, AT IV, p. 201-202 : « je ne suis point de ces Philosophes cruels qui veulent que leur sage soit insensible ». Le thème de l'orgueil renvoie aux paradoxes stoïciens, suivant lesquels seul le sage est libre, riche, beau, roi, etc. (cf. Cicéron, *De finibus*, III, XXII, 75). Le thème du désespoir peut faire allusion à la justification stoïcienne, dans certaines circonstances, du suicide du sage, cf. *De finibus*, III, 18-60. Quant au parricide, il s'agit sans doute d'une allusion à l'assassinat de César par M. J. Brutus.

2. Dans la mesure où la théologie s'appuie sur la révélation, dont les vérités excèdent la raison naturelle, elle suppose la grâce.

3. Allusion à la pratique de la *disputatio*, issue de l'université médiévale, et recommandée par la *Ratio studiorum* des collèges jésuites.

4. Cf. Règle II, p. 4 : « Toutes les fois qu'ils sont deux à porter sur une même chose des jugements contraires, il est certain que l'un des deux au moins se trompe, et il ne semble même pas qu'un seul d'entre eux en possède la science : car si ses raisons étaient certaines et évidentes, il pourrait les proposer à son adversaire de manière aussi à convaincre à la fin son entendement » ; Règle III, p. 7 : « Rien n'a pu être trouvé dans la philosophie commune d'assez évident et certain pour n'être point amené en dispute. »

rencontrer mieux que les autres ; et que, considérant combien il peut y avoir de diverses opinions, touchant une même matière, qui soient soutenues par des gens doctes, sans qu'il y en puisse avoir jamais plus d'une seule qui soit vraie, je réputais presque pour faux tout ce qui n'était que vraisemblable.

Puis, pour les autres sciences[1], d'autant qu'elles empruntent leurs principes de la philosophie, je jugeais qu'on ne pouvait avoir rien bâti qui fût solide, sur des fondements si peu fermes. Et, ni l'honneur, ni le gain qu'elles promettent, n'étaient suffisants pour me convier à les apprendre ; car je ne me sentais point, grâces à Dieu, de condition qui m'obligeât à faire un métier de la science, pour le soulagement de ma fortune ; et quoique je ne fisse pas profession de mépriser la gloire en cynique[2], je faisais néanmoins fort peu d'état de celle que je n'espérais point pouvoir acquérir qu'à faux titres. Et enfin, pour les mauvaises doctrines, je pensais déjà connaître assez ce qu'elles valaient[3], pour n'être plus sujet à être trompé, ni par les promesses d'un alchimiste, ni par les prédictions d'un astrologue, ni par les impostures d'un magicien, ni par les artifices ou vanterie de ceux qui font profession de savoir plus qu'ils ne savent.

1. Il s'agit de la jurisprudence et de la médecine mentionnées plus haut.

2. Les cyniques, comme Antisthène ou Diogène, au nom d'un retour à la nature, refusent d'accorder aucune valeur aux convenances et aux dignités sociales ou à l'opinion publique. Ce thème se retrouvera notamment dans la première maxime de la morale par provision, dans la troisième partie du présent *Discours*, ainsi que bien plus tard, dans les *Passions de l'âme* (art. 206, AT XI, p. 483), à propos de la gloire et de la honte : « Il n'est pas bon de se dépouiller entièrement de ces passions, ainsi. que faisaient autrefois les cyniques. Car encore que le peuple juge très mal, toutefois à cause que nous ne pouvons vivre sans lui, et qu'il nous importe d'en être estimés, nous devons souvent suivre ses opinions, plutôt que les nôtres, touchant l'extérieur de nos actions. »

3. En particulier, selon G. Rodis-Lewis (*L'Œuvre de Descartes*, p. 22), Descartes aurait lu la *Magia naturalis* de Jean-Baptiste Della Porta.

C'est pourquoi, sitôt que l'âge me permit de sortir de la sujétion de mes précepteurs, je quittai entièrement l'étude des lettres. Et me résolvant de ne chercher d'autre science, que celle qui se pourrait trouver en moi-même, ou bien dans le grand livre du monde[1], j'employai le reste de ma jeunesse à voyager, à voir des cours et des armées, à fréquenter des gens de diverses humeurs et conditions, à recueillir diverses expériences, à m'éprouver moi-même dans les rencontres que la fortune me proposait, et partout à faire telle réflexion sur les choses qui se présentaient, que j'en pusse tirer quelque profit. Car, il me semblait que je pourrais rencontrer beaucoup plus de vérité, dans les raisonnements que chacun fait touchant les affaires qui lui importent, et dont l'événement le doit punir bientôt après, s'il a mal jugé[2], que dans ceux que fait un homme de lettres dans son cabinet, touchant les spéculations qui ne produisent aucun effet, et qui ne lui sont d'autre conséquence, sinon que peut-être il en tirera d'autant plus de vanité qu'elles seront plus éloignées du sens commun, à cause qu'il aura dû employer d'autant plus d'esprit et d'artifice à tâcher de les rendre vraisemblables. Et j'avais toujours un extrême désir d'apprendre à distinguer le vrai d'avec le faux, pour voir clair en mes actions et marcher avec assurance en cette vie.

Il est vrai que, pendant que je ne faisais que considérer les mœurs des autres hommes, je n'y trouvais guère de quoi m'assurer, et que j'y remarquais quasi autant de diversité que j'avais fait auparavant entre les opinions des philosophes. En sorte que le plus grand profit que j'en retirais, était que, voyant plusieurs choses qui, bien qu'elles nous semblent fort extravagantes et ridicules, ne laissent pas d'être communément reçues et approuvées par d'autres grands

1. Cf. Montaigne, *Essais*, I, chap. 26.

2. Cf. la lettre de Descartes à Plempius pour Fromondus du 3 octobre 1637, AT I, p. 421, selon laquelle la mécanique a échappé à la corruption qui a frappé les autres parties de la philosophie, parce qu'elle est soumise au critère de la réussite.

peuples, j'apprenais à ne rien croire trop fermement de ce qui ne m'avait été persuadé que par l'exemple et par la coutume ; et ainsi je me délivrais peu à peu de beaucoup d'erreurs, qui peuvent offusquer[1] notre lumière naturelle, et nous rendre moins capables d'entendre raison. Mais, après que j'eus employé quelques années à étudier ainsi dans le livre du monde et à tâcher d'acquérir quelque expérience, je pris un jour résolution d'étudier aussi en moi-même, et d'employer toutes les forces de mon esprit à choisir les chemins que je devais suivre. Ce qui me réussit beaucoup mieux, ce me semble, que si je ne me fusse jamais éloigné, ni de mon pays, ni de mes livres.

1. C'est-à-dire « obscurcir ».

SECONDE PARTIE

J'étais alors en Allemagne, où l'occasion des guerres qui n'y sont pas encore finies[1] m'avait appelé ; et comme je retournais du couronnement de l'empereur[2] vers l'armée, le commencement de l'hiver[3] m'arrêta en un quartier où, ne trouvant aucune conversation qui me divertît, et n'ayant d'ailleurs, par bonheur, aucuns soins ni passions qui me troublassent, je demeurais tout le jour enfermé seul dans un poêle[4], où j'avais tout loisir de m'entretenir de mes pensées. Entre lesquelles, l'une des premières fut que je m'avisai de considérer que souvent il n'y a pas tant de perfection dans les ouvrages composés de plusieurs pièces, et faits de la main de divers maîtres, qu'en ceux auxquels un seul a travaillé[5]. Ainsi voit-on que les bâtiments qu'un seul architecte a entrepris et achevés ont coutume d'être plus beaux et mieux ordonnés, que ceux que plusieurs ont tâché de raccommoder, en faisant servir de vieilles murailles qui avaient été bâties à d'autres fins. Ainsi ces

1. Il s'agit de la guerre de Trente Ans (1618-1648).

2. Ferdinand II de Habsbourg (1578-1637), couronné à Francfort en 1619.

3. Il s'agit de l'hiver 1619-1620. La nuit du 10 au 11 novembre 1619, à laquelle Descartes va faire ici allusion, fut décisive. Cf. Dossier I, 1.

4. Pièce chauffée par un poêle en faïence.

5. Cette idée est liée à la thèse de l'unité du corps des sciences, dont la constitution paraît à Descartes être sa tâche. Cf. Sixième partie, et Présentation et Dossier I, 1-2.

anciennes cités qui n'ayant été au commencement que des bourgades, sont devenues, par succession de temps, de grandes villes, sont ordinairement si mal compassées, au prix de ces places régulières qu'un ingénieur trace à sa fantaisie dans une plaine, qu'encore que, considérant leurs édifices chacun à part, on y trouve souvent autant ou plus d'art qu'en ceux des autres ; toutefois, à voir comme ils sont arrangés, ici un grand, là un petit, et comme ils rendent les rues courbées et inégales, on dirait que c'est plutôt la fortune que la volonté de quelques hommes usant de raison, qui les a ainsi disposés. Et si on considère qu'il y a eu néanmoins de tout temps quelques officiers, qui ont eu charge de prendre garde aux bâtiments des particuliers, pour les faire servir à l'ornement du public, on connaîtra qu'il est bien malaisé, en ne travaillant que sur les ouvrages d'autrui, de faire des choses fort accomplies. Ainsi je m'imaginai que les peuples qui, ayant été autrefois demi-sauvages, et ne s'étant civilisés que peu à peu, n'ont fait leurs lois qu'à mesure que l'incommodité des crimes et des querelles les y a contraints, ne sauraient être si bien policés que ceux qui, dès le commencement qu'ils se sont assemblés, ont observé les constitutions de quelque prudent législateur. Comme il est bien certain que l'état de la vraie religion, dont Dieu seul a fait les ordonnances, doit être incomparablement mieux réglé que tous les autres. Et pour parler des choses humaines, je crois que, si Sparte a été autrefois très florissante, ce n'a pas été à cause de la bonté de chacune de ses lois en particulier, vu que plusieurs étaient fort étranges, et même contraires aux bonnes mœurs, mais à cause que, n'ayant été inventées que par un seul [1], elles tendaient toutes à même fin. Et ainsi je pensai que les sciences des livres, au moins celles dont les raisons ne sont que pro-

1. Lycurgue qui, selon Hérodote, aurait donné à Sparte sa Constitution au IXe siècle avant J.-C. Parmi les lois contraires aux bonnes mœurs auxquelles Descartes fait ici allusion, on peut citer celle qui commandait d'abandonner les enfants mal conformés.

bables[1], et qui n'ont aucunes démonstrations, s'étant composées et grossies peu à peu des opinions de plusieurs diverses personnes, ne sont point si approchantes de la vérité que les simples raisonnements que peut faire naturellement un homme de bon sens touchant les choses qui se présentent. Et ainsi encore je pensai que, pource que nous avons tous été enfants avant que d'être hommes, et qu'il nous a fallu longtemps être gouvernés par nos appétits et nos précepteurs, qui étaient souvent contraires les uns aux autres, et qui, ni les uns ni les autres, ne nous conseillaient peut-être pas toujours le meilleur, il est presque impossible que nos jugements soient si purs, ni si solides qu'ils auraient été, si nous avions eu l'usage entier de notre raison dès le point de notre naissance, et que nous n'eussions jamais été conduits que par elle[2].

Il est vrai que nous ne voyons point qu'on jette par terre toutes les maisons d'une ville, pour le seul dessein de les refaire d'autre façon, et d'en rendre les rues plus belles ; mais on voit bien que plusieurs font abattre les leurs pour les rebâtir, et que même quelquefois ils y sont contraints, quand elles sont en danger de tomber d'elles-mêmes, et que les fondements n'en sont pas bien fermes. À l'exemple de quoi je me persuadai, qu'il n'y aurait véritablement point d'apparence qu'un particulier fît dessein de réformer un État en y changeant tout dès les fondements, et en le renversant pour le redresser ; ni même aussi de réformer le corps des sciences, ou l'ordre établi dans les écoles pour les enseigner[3] ; mais que, pour toutes les opi-

1. C'est principalement la philosophie telle qu'elle est pratiquée avant Descartes qui est visée ici. Font exception à ce jugement les sciences mathématiques, qui ont atteint la certitude. Cf. Première partie, note 3, p. 36.

2. Sur le rôle de l'enfance dans l'erreur et la simple vraisemblance, cf. Dossier I, 13.

3. Descartes aura plus tard, lorsqu'il rédigera les *Principes de la philosophie*, le projet de substituer sa philosophie à celle qui est enseignée dans les écoles. Cf. la lettre à Mersenne du 31 décembre 1640, AT III, p. 276 : « Je serai bien aise de n'avoir que le moins de divertissements qu'il se pourra, au moins pour cette année, que j'ai résolu d'employer à écrire ma Philosophie en tel ordre qu'elle puisse aisément être enseignée. »

nions que j'avais reçues jusques alors en ma créance, je ne pouvais mieux faire que d'entreprendre, une bonne fois, de les en ôter, afin d'y en remettre par après, ou d'autres meilleures, ou bien les mêmes [1], lorsque je les aurais ajustées au niveau de la raison. Et je crus fermement que, par ce moyen, je réussirais à conduire ma vie [2] beaucoup mieux que si je ne bâtissais que sur de vieux fondements, et que je ne m'appuyasse que sur les principes que je m'étais laissé persuader en ma jeunesse, sans avoir jamais examiné s'ils étaient vrais. Car, bien que je remarquasse en ceci diverses difficultés, elles n'étaient point toutefois sans remède, ni comparables à celles qui se trouvent en la réformation des moindres choses qui touchent le public. Ces grands corps sont trop malaisés à relever, étant abattus, ou même à retenir, étant ébranlés, et leurs chutes ne peuvent être que très rudes. Puis, pour leurs imperfections, s'ils en ont, comme la seule diversité qui est entre eux suffit pour assurer que plusieurs en ont, l'usage les a sans doute fort adoucies ; et même il en a évité ou corrigé insensiblement quantité, auxquelles on ne pourrait si bien pourvoir par prudence. Et enfin, elles sont quasi toujours plus supportables que ne serait leur changement : en même façon que les grands chemins, qui tournoient entre des montagnes, deviennent peu à peu si unis et si commodes, à force d'être fréquentés, qu'il est beaucoup meilleur de les suivre que d'entreprendre d'aller plus droit, en grimpant au-dessus des rochers, et descendant jusques au bas des précipices [3].

1. Descartes ne recherche pas spécialement la nouveauté, comme il le précisera dans la Sixième partie.

2. L'ambition cartésienne d'atteindre à la certitude dans la connaissance est toujours liée à la perspective de la conduite de la vie. Cf., par exemple, la Règle I, p. 3 : « Que si donc quelqu'un se résout à rechercher sérieusement la vérité des choses [...] qu'il pense seulement à l'accroissement de la lumière naturelle de la raison, non pour résoudre l'une ou l'autre difficulté d'école, mais pour que, en chacune des occasions de la vie, l'entendement indique à la volonté quel parti choisir. »

3. Cf. Montaigne, *Essais*, III, chap. 9 ; I, chap. 23 ; et Charron, *De la sagesse*, II, 8, 7.

C'est pourquoi je ne saurais aucunement approuver ces humeurs brouillonnes et inquiètes, qui, n'étant appelées, ni par leur naissance, ni par leur fortune, au maniement des affaires publiques, ne laissent pas d'y faire toujours, en idée, quelque nouvelle réformation. Et si je pensais qu'il y eût la moindre chose en cet écrit, par laquelle on me pût soupçonner de cette folie, je serais très marri de souffrir qu'il fût publié. Jamais mon dessein ne s'est étendu plus avant que de tâcher à réformer mes propres pensées, et de bâtir dans un fonds qui est tout à moi. Que si, mon ouvrage m'ayant assez plu, je vous en fait voir ici le modèle, ce n'est pas, pour cela, que je veuille conseiller à personne de l'imiter. Ceux que Dieu a mieux partagés de ses grâces, auront peut-être des desseins plus relevés ; mais je crains bien que celui-ci soit déjà trop hardi pour plusieurs. La seule résolution de se défaire de toutes les opinions qu'on a reçues auparavant en sa créance, n'est pas un exemple que chacun doive suivre [1] ; et le monde n'est quasi composé que de deux sortes d'esprits auxquels il ne convient aucunement. À savoir, de ceux qui, se croyant plus habiles qu'ils ne sont, ne se peuvent empêcher de précipiter leurs jugements [2], ni avoir assez de patience pour conduire par ordre toutes leurs pensées : d'où vient que, s'ils avaient une fois pris la liberté de douter des principes qu'ils ont reçus, et de s'écarter du chemin commun, jamais ils ne pourraient tenir le sentier qu'il faut prendre pour aller plus droit, et demeureraient égarés toute leur vie. Puis, de ceux qui, ayant assez de raison, ou de modestie, pour juger qu'ils sont moins capables de distinguer le vrai d'avec le faux [3], que quelques autres par

1. Cf. Présentation.
2. Sur la précipitation, cf. Dossier I, 13.
3. Il s'agit de la différence qui existe entre les esprits du point de vue de l'invention de la vérité, et non de la perception d'une vérité déjà découverte, pour laquelle tous les esprits sont égaux. Cf. Règle XIV, p. 70 : « Pour établir un ordre à force de pensée, il ne faut pas peu d'industrie [...] au contraire [...] pour connaître l'ordre après qu'on l'a trouvé, il n'y a plus aucune difficulté. »

lesquels ils peuvent être instruits, doivent bien plutôt se contenter de suivre les opinions de ces autres, qu'en chercher eux-mêmes de meilleures [1].

Et pour moi, j'aurais été sans doute du nombre de ces derniers, si je n'avais jamais eu qu'un seul maître, ou que je n'eusse point su les différences qui ont été de tout temps entre les opinions des plus doctes. Mais ayant appris, dès le collège, qu'on ne saurait rien imaginé de si étrange et si peu croyable, qu'il n'ait été dit par quelqu'un des philosophes [2] ; et depuis, en voyageant, ayant reconnu que tous ceux qui ont des sentiments fort contraires aux nôtres, ne sont pas, pour cela, barbares ni sauvages, mais que plusieurs usent, autant ou plus que nous, de raison ; et ayant considéré combien un même homme, avec son même esprit, étant nourri dès son enfance entre des Français ou des Allemands, devient différent de ce qu'il serait, s'il avait toujours vécu entre des Chinois ou des Cannibales [3] ; et comment, jusques aux modes de nos habits, la même chose qui nous a plu il y a dix ans, et qui nous plaira peut-être encore avant dix ans, nous semble maintenant extravagante et ridicule : en sorte que c'est bien plus la coutume et l'exemple qui nous persuadent, qu'aucune connaissance certaine [4], et que néanmoins la pluralité des voix n'est pas une preuve qui vaille rien pour les vérités un peu malaisées à découvrir, à cause qu'il est bien plus vraisemblable qu'un homme seul les ait rencontrées que tout un peuple [5] : je ne pouvais choisir personne dont les opinions me semblassent devoir être préférées à celles des autres, et je me trouvai

1. Sur ce passage cf. Dossier I, 12, B.

2. Reprise d'un passage du *De divinatione* de Cicéron (II, 58, 119) : « *sed nescio quomodo nihil tam absurde dici potest, quod non dicatur ab aliquo philosophorum* ».

3. Cf. Montaigne, *Essais*, I, chap. 31.

4. Cf. Montaigne, *Essais*, I, chap. 31 et Charron, *De la sagesse*, II, 8, 2.

5. Thème fréquent chez Descartes (cf. par exemple la lettre à Gibieuf du 19 janvier 1642, AT III, p. 473).

comme contraint d'entreprendre moi-même de me conduire.

Mais, comme un homme qui marche seul et dans les ténèbres, je me résolus d'aller si lentement, et d'user de tant de circonspection en toutes choses, que, si je n'avançais que fort peu, je me garderais bien, au moins, de tomber. Même je ne voulus point commencer à rejeter tout à fait aucune des opinions, qui s'étaient pu glisser autrefois en ma créance sans y avoir été introduites par la raison, que je n'eusse auparavant employé assez de temps à faire le projet de l'ouvrage que j'entreprenais, et à chercher la vraie méthode pour parvenir à la connaissance de toutes les choses dont mon esprit serait capable.

J'avais un peu étudié, étant plus jeune, entre les parties de la philosophie, à la logique, et entre les mathématiques, à l'analyse des géomètres et à l'algèbre, trois arts ou sciences qui semblaient devoir contribuer quelque chose à mon dessein. Mais, en les examinant, je pris garde que, pour la logique, ses syllogismes et la plupart de ses autres instructions servent plutôt à expliquer à autrui les choses qu'on sait [1], ou même, comme l'art de Lulle, à parler sans jugement de celles qu'on ignore, qu'à les apprendre [2]. Et bien qu'elle contienne, en effet, beaucoup de préceptes très vrais et très bons, il y en a toutefois tant d'autres, mêlés parmi, qui sont ou nuisibles ou superflus, qu'il est presque

1. Cf. le jugement que Descartes porte, dès les *Regulae*, sur la logique enseignée dans les écoles, autrement dit, la logique formelle d'inspiration aristotélicienne, Dossier I, 12, A.

2. Raymond Lulle (1232-1315). Il est question de l'*Ars brevis quae est imago Ars generalis*, publié pour la première fois en 1481, dans la correspondance avec Beeckman de 1619, notamment dans les lettres de Descartes du 26 mars et du 29 avril. Descartes y affirme a) qu'il ne possède pas alors le livre ; b) qu'il a rencontré « un homme savant < qui > se vantait de pouvoir user des règles de cet Art avec un tel succès que, disait-il, il était capable, sur n'importe quel sujet, de discourir pendant une heure ; puis, si on lui demandait de parler, une heure encore, sur la même matière, de trouver des propos tout à fait différents des précédents, et ainsi pendant vingt heures de suite » (à Beeckman, 29 avril 1619, éd. Alquié, I, p. 42-43).

aussi malaisé de les en séparer que de tirer une Diane ou une Minerve hors d'un bloc de marbre qui n'est point encore ébauché. Puis, pour l'analyse des anciens [1] et l'algèbre des modernes [2], outre qu'elles ne s'étendent qu'à des matières fort abstraites, et qui ne semblent d'aucun usage [3], la première est toujours si astreinte à la considération des figures, qu'elle ne peut exercer l'entendement sans fatiguer beaucoup l'imagination [4] ; et on s'est tellement assujetti, en la dernière, à certaines règles et à certains chiffres [5], qu'on en a fait un art confus et obscur, qui embarrasse l'esprit, au lieu d'une science qui le cultive. Ce qui fut cause que je pensai qu'il fallait chercher quelque autre méthode, qui, comprenant les avantages de ces trois, fût exempte de leurs défauts. Et comme la multitude des lois fournit souvent

1. Il s'agit de l'analyse au sens géométrique, mise en œuvre notamment par Archimède, Apollonius et Euclide, et codifiée par Pappus et Diophante. Descartes se réfère dans la *Géométrie* aux *Mathematicarum collectionum* de Pappus, que Commandino avait traduits en latin en 1588. Il s'inspire sans doute aussi de l'ouvrage de Viète, paru en 1591, *In artem analyticam isagoge*. L'analyse au sens géométrique, ou *resolutio*, telle qu'elle est décrite au début du livre sept du traité de Pappus, consiste à découvrir l'ordre nécessaire à la résolution d'un problème géométrique, en partant de la solution supposée donnée du problème et en remontant la série de ses antécédents jusqu'à ce qu'on arrive à quelque vérité déjà connue. Cf. Dossier I, 7, B-C.

2. Il s'agit de l'algèbre telle que l'enseigne P. Clavius. Son *Algebra* (1612) est vraisemblablement le manuel qu'utilisa Descartes à La Flèche. Sur l'algèbre et la *mathesis*, cf. Dossier I, 7, C.

3. Cf. Règle IV, p. 13 : « en réalité, il n'est rien de plus vain que de s'occuper de nombres nus et de figures imaginaires, en sorte de paraître vouloir s'arrêter à la connaissance de telles niaiseries ».

4. Cf. la dénonciation, par la Règle IV, p. 13, des démonstrations de l'analyse géométrique, « qui touchent plutôt les yeux et l'imagination que l'entendement, que nous en perdions en certaine façon l'usage même de l'entendement ». S'il en est ainsi, c'est que la géométrie des Anciens raisonne sur des figures et non sur des symboles les représentant.

5. Il s'agit des caractères cossiques, symboles variables selon les auteurs, qui désignaient les puissances. Clavius notamment en usait. Descartes, après avoir employé les signes cossiques dans sa jeunesse (cf. les lettres à Beeckman de 1619), les remplacera par des nombres placés en exposants ; cf. plus loin, note 4, p. 52.

des excuses aux vices, en sorte qu'un État est bien mieux réglé lorsque, n'en ayant que fort peu, elles y sont fort étroitement observées ; ainsi, au lieu de ce grand nombre de préceptes dont la logique est composée, je crus que j'aurais assez des quatre suivants, pourvu que je prisse une ferme et constante résolution de ne manquer pas une seule fois à les observer.

Le premier était de ne recevoir jamais aucune chose pour vraie, que je ne la connusse évidemment[1] être telle : c'est-à-dire d'éviter soigneusement la précipitation et la prévention[2] ; et de ne comprendre rien de plus en mes jugements, que ce qui se présenterait si clairement et si distinctement à mon esprit, que je n'eusse aucune occasion de le mettre en doute[3].

Le second, de diviser chacune des difficultés que j'examinerais en autant de parcelles qu'il se pourrait et qu'il serait requis pour les mieux résoudre[4].

Le troisième, de conduire par ordre mes pensées[5], en commençant par les objets les plus simples et les plus aisés à connaître, pour monter peu à peu, comme par degrés, jusques à la connaissance des plus compo-

1. La règle présente, dite d'évidence, énonce l'exigence cartésienne de certitude, et la disqualification de tout savoir simplement vraisemblable ou probable.

2. La précipitation consiste à porter un jugement sur une chose avant que l'entendement ait atteint la connaissance évidente de cette chose ; la prévention, c'est l'influence, fondée sur l'habitude, de nos croyances erronées, issues de l'enfance, sur notre jugement, autrement dit, le poids de nos préjugés. Cf. Dossier I, 13.

3. C'est le remède pour éviter l'erreur : n'assentir par le jugement qu'à ce que l'entendement a perçu clairement et distinctement, autrement dit, régler strictement notre jugement sur ce qu'atteint la connaissance claire et distincte, et par là indubitable, de l'entendement. Sur la théorie de l'erreur à laquelle il est ici fait allusion, cf. Dossier I, 15.

4. Il s'agit de « réduire la difficulté à une très simple » ; cf. Règle XIII.

5. L'ordre dont il est question ici est purement cognitif, cf. Règle VI, p. 17 : « Toutes les choses peuvent être disposées en de certaines suites, non certes en tant qu'elles sont rapportées à un certain genre d'être, ainsi que les Philosophes les ont divisées suivant leurs catégories, mais en tant que les unes peuvent être connues à partir des autres. » Cf. Dossier I, 9, B. Sur ce point, cf. J.-L. Marion, *Sur l'ontologie grise de Descartes*, chap. II.

sés[1] ; et supposant même de l'ordre entre ceux qui ne se précèdent point naturellement les uns les autres[2].

Et le dernier, de faire partout des dénombrements si entiers, et des revues si générales, que je fusse assuré de ne rien omettre[3].

Ces longues chaînes de raisons, toutes simples et faciles, dont les géomètres ont coutume de se servir, pour parvenir à leurs plus difficiles démonstrations, m'avaient donné occasion de m'imaginer que toutes les choses, qui peuvent tomber sous la connaissance des hommes, s'entre-suivent en même façon[4], et que,

1. Ces notions de « simple » et de « composé » réfèrent à l'ordre dans la connaissance. Le plus simple est ce qui ne suppose rien d'autre pour être connu parfaitement, c'est ce qui est connu de soi, c'est pourquoi le plus simple est aussi le « plus aisé à connaître ». Le plus composé est ce qui s'éloigne du plus simple par le plus grand nombre d'intermédiaires ou de degrés dans la déduction, c'est donc ce qu'on atteint en dernier quand on se conforme à l'ordre. Ce précepte paraît faire allusion à la théorie des natures simples développée dans les *Regulae* : notre connaissance repose sur un petit nombre de natures connues par elles-mêmes et avec certitude, dont toutes nos autres connaissances ne sont que des compositions. Il s'agit donc d'abord de revenir au simple, au certain, pour voir ensuite comment il compose le complexe, pour atteindre à la connaissance certaine du complexe. Cf. Dossier I, 9, C et I, 10.

2. Cf. Règle X, p. 35 : il faut suivre constamment l'ordre « soit qu'il existe dans la chose même, soit qu'on l'ait subtilement < forgé > à force de pensée : tout de même que si nous voulons lire une écriture dissimulée par l'emploi de caractères inconnus, aucun ordre, certes, n'y apparaît, mais nous en forgerons un pourtant [...] ». C'est pourquoi il est important d'exercer notre adresse en observant les arts qui supposent de l'ordre.

3. Le dénombrement est l'opération par laquelle, soit dans la division d'une difficulté, soit dans la déduction du composé à partir du simple, nous vérifions que nous n'avons rien oublié, c'est-à-dire que nous avons, soit perçu toutes les dimensions d'un problème, soit déduit correctement une conclusion. Dans ce dernier cas, le dénombrement est la vérification intellectuelle d'une longue déduction qui s'assure du lien entre tous les maillons de la chaîne déductive et de la continuité de la chaîne, qui seule garantit la vérité de la conclusion. Cf. Dossier I, 9, D.

4. Idée de l'unité du savoir humain, fondée sur l'unité du bon sens, ainsi que sur la thèse d'un petit nombre de natures simples qui composent toute notre connaissance, la diversité des objets n'étant jamais que la diversité des compositions de ces natures simples. Cf. Dossier I, 10.

pourvu seulement qu'on s'abstienne d'en recevoir aucune pour vraie qui ne le soit, et qu'on garde toujours l'ordre qu'il faut pour les déduire les unes des autres, il n'y en peut avoir de si éloignées auxquelles enfin on ne parvienne, ni de si cachées qu'on ne découvre. Et je ne fus pas beaucoup en peine de chercher par lesquelles il était besoin de commencer : car je savais déjà que c'était par les plus simples et les plus aisées à connaître ; et considérant qu'entre tous ceux qui ont ci-devant recherché la vérité dans les sciences, il n'y a eu que les seuls mathématiciens qui ont pu trouver quelques démonstrations, c'est-à-dire quelques raisons certaines et évidentes [1], je ne doutais point que ce ne fût par les mêmes qu'ils ont examinées ; bien que je n'en espérasse aucune autre utilité, sinon qu'elles accoutumeraient mon esprit à se repaître de vérités, et ne se contenter point de fausses raisons [2]. Mais je n'eus pas dessein, pour cela, de tâcher d'apprendre toutes ces sciences particulières qu'on nomme communément mathématiques [3] ; et voyant qu'encore que leurs objets soient différents, elles ne laissent pas de s'accorder toutes, en ce qu'elles n'y considèrent autre chose que les divers rapports ou proportions qui s'y trouvent, je pensai qu'il valait mieux que j'examinasse seulement ces proportions en général, et sans les supposer que dans les sujets qui serviraient à m'en rendre la connaissance plus aisée ; même aussi sans les y astreindre aucunement, afin de les pouvoir d'autant mieux appliquer après à tous les autres auxquels elles

1. Cf. Première partie, note 3, p. 36. Les mathématiques sont les plus certaines des sciences, selon les *Regulae*, parce qu'elles ont un objet très pur et très simple (Règle IV, p. 6).

2. Considérées en elles-mêmes, du point de vue des objets particuliers qui sont les leurs, les mathématiques sont vaines, pour Descartes. Elles n'ont d'intérêt qu'en tant qu'elles mettent en œuvre la méthode par laquelle on peut atteindre à une connaissance certaine, à laquelle on doit s'accoutumer avant de la dégager des objets particuliers de ces disciplines, pour l'appliquer à tous les autres domaines de la connaissance humaine. Cf. note 3, p. 48. Dossier I, 7.

3. C'est-à-dire l'arithmétique, la géométrie, l'astronomie, la musique, l'optique, la mécanique. Cf. Règle IV, p. 15.

conviendraient[1]. Puis, ayant pris garde que, pour les connaître, j'aurais quelquefois besoin de les considérer chacune en particulier, et quelquefois seulement de les retenir, ou de les comprendre plusieurs ensemble, je pensai que, pour les considérer mieux en particulier, je les devais supposer en des lignes, à cause que je ne trouvais rien de plus simple, ni que je pusse plus distinctement représenter à mon imagination et à mes sens[2] ; mais que pour les retenir, ou les comprendre plusieurs ensembles, il fallait que je les expliquasse[3] par quelques chiffres, les plus courts qu'il serait possible[4] ; et que, par ce moyen, j'emprunterais tout le meilleur de l'analyse géométrique et de l'algèbre, et corrigerais tous les défauts de l'une par l'autre.

Comme, en effet, j'ose dire que l'exacte observation de ce peu de préceptes que j'avais choisis, me donna telle facilité à démêler toutes les questions auxquelles ces deux sciences s'étendent, qu'en deux ou trois mois que j'employai à les examiner, ayant commencé par les plus simples et plus générales, et chaque vérité que je trouvais étant une règle qui me servait après à en

1. En pratiquant les mathématiques, Descartes s'exerce à une science des rapports, indépendante des différents objets auxquels on peut l'appliquer. S'agit-il de la *mathesis universalis* ou bien d'une science qui ne vaut que pour les objets des mathématiques ? Les *Regulae* fournissent quelques éléments de réponse. La *mathesis universalis* est la « science générale » – qui n'est donc liée à aucune matière spéciale – « qui explique tout ce qu'on peut chercher touchant l'ordre et la mesure » (Règle IV, p. 15). Or, l'ordre et la mesure ne sont que les deux chapitres sous lesquels se regroupent tous les rapports entre des êtres de même genre, selon la Règle XIV, p. 70 : « Toutes les façons < de se comporter > qui peuvent se trouver entre deux êtres d'un même genre, doivent se rapporter à deux chapitres, savoir l'ordre et la mesure. » Cf. Dossier I, 8 et I, 11.

2. Descartes emploie la ligne comme symbole le plus simple de la grandeur, puisqu'elle permet de les représenter toutes (aussi bien les grandeurs continues de la géométrie que les grandeurs discontinues de l'arithmétique).

3. C'est-à-dire « que je les désignasse ».

4. Descartes simplifie l'écriture algébrique alors en usage en remplaçant les signes cossiques (cf. plus haut, note 5, p. 48) par des nombres inscrits en exposants, et en représentant les grandeurs par des lettres de l'alphabet (a, b, x, y,...).

trouver d'autres, non seulement je vins à bout de plusieurs que j'avais jugées autrefois très difficiles [1], mais il me sembla aussi, vers la fin, que je pouvais déterminer, en celles même que j'ignorais, par quels moyens, et jusques où, il était possible de les résoudre [2]. En quoi je ne vous paraîtrai peut-être pas être fort vain, si vous considérez que, n'y ayant qu'une vérité de chaque chose, quiconque la trouve en sait autant qu'on en peut savoir ; et que par exemple, un enfant instruit en l'arithmétique, ayant fait une addition suivant ses règles, se peut assurer d'avoir trouvé, touchant la somme qu'il examinait, tout ce que l'esprit humain saurait trouver. Car enfin la méthode qui enseigne à suivre le vrai ordre, et à dénombrer exactement toutes les circonstances de ce qu'on cherche, contient tout ce qui donne de la certitude aux règles d'arithmétique.

Mais ce qui me contentait le plus de cette méthode, était que, par elle, j'étais assuré d'user en tout de ma raison, sinon parfaitement, au moins le mieux qui fût en mon pouvoir ; outre que je sentais, en la pratiquant, que mon esprit s'accoutumait peu à peu à concevoir plus nettement et plus distinctement ses objets, et que, ne l'ayant point assujettie à quelque matière particulière, je me promettais de l'appliquer aussi utilement aux difficultés des autres sciences, que j'avais fait à celles de l'algèbre. Non que, pour cela, j'osasse entreprendre d'abord d'examiner toutes celles qui se présenteraient ; car cela même eût été contraire à l'ordre qu'elle prescrit. Mais, ayant pris garde que leurs principes devaient tous être empruntés de la philosophie, en laquelle je n'en trouvais point encore de certains, je pensai qu'il fallait, avant tout, que je tâchasse d'y en établir, et que cela étant la chose du monde la plus importante, et où la précipitation et la

1. Sur ce point, cf. P. Costabel, « La mathématique de Descartes antérieure à la *Géométrie* », in *Démarches originales de Descartes savant.*

2. La méthode enseigne en particulier « comment on doit trouver les déductions pour parvenir à la connaissance de toutes < choses > », Règle IV, p. 11.

prévention étaient le plus à craindre, je ne devais point entreprendre d'en venir à bout, que je n'eusse atteint un âge bien plus mûr que celui de vingt-trois ans, que j'avais alors ; et que je n'eusse, auparavant, employé beaucoup de temps à m'y préparer, tant en déracinant de mon esprit toutes les mauvaises opinions que j'y avais reçues avant ce temps-là, qu'en faisant amas de plusieurs expériences, pour être après la matière de mes raisonnements, et en m'exerçant toujours en la méthode que je m'étais prescrite, afin de m'y affermir de plus en plus.

TROISIÈME PARTIE

Et enfin, comme ce n'est pas assez, avant de commencer à rebâtir le logis où on demeure, que de l'abattre, et de faire provision de matériaux et d'architectes, ou s'exercer soi-même à l'architecture, et outre cela d'en avoir soigneusement tracé le dessin ; mais qu'il faut aussi s'être pourvu de quelque autre, où on puisse être logé commodément pendant le temps qu'on y travaillera ; ainsi, afin que je ne demeurasse point irrésolu en mes actions, pendant que la raison m'obligerait de l'être en mes jugements, et que je ne laissasse pas de vivre dès lors le plus heureusement que je pourrais [1], je me formai une morale par provision [2], qui ne consistait qu'en trois ou quatre maximes, dont je veux bien vous faire part.

La première était d'obéir aux lois et aux coutumes de mon pays [3], retenant constamment la religion en laquelle Dieu m'a fait la grâce d'être instruit dès mon enfance, et me gouvernant, en toute autre chose, sui-

1. Cf. note 1, p. 59.

2. C'est-à-dire « en attendant », selon le *Dictionnaire* de Furetière. De cette morale, Descartes dira dans la *Lettre-préface à l'édition française des* Principes, qu'elle est « une morale imparfaite, qu'on peut suivre par provision pendant qu'on n'en sait point encore de meilleure », AT IX-2, p. 15. Sur le sort de cette morale dans l'œuvre de Descartes, cf. la lettre à Elisabeth du 4 août 1645, qui reformule, dans une perspective qui n'est plus « par provision », la morale du *Discours*. Cf. Dossier II, 2, A-B.

3. Cf. Charron, *De la sagesse*, II, 8, 7.

vant les opinions les plus modérées, et les plus éloignées de l'excès, qui fussent communément reçues en pratique par les mieux sensés de ceux avec lesquels j'aurais à vivre. Car, commençant dès lors à ne compter pour rien les miennes propres, à cause que je les voulais mettre toutes à l'examen, j'étais assuré de ne pouvoir mieux que de suivre celles des mieux sensés. Et encore qu'il y en ait peut-être d'aussi bien sensés, parmi les Perses ou les Chinois, que parmi nous, il me semblait que le plus utile était de me régler selon ceux avec lesquels j'aurais à vivre ; et que, pour savoir quelles étaient véritablement leurs opinions, je devais plutôt prendre garde à ce qu'ils pratiquaient qu'à ce qu'ils disaient ; non seulement, à cause qu'en la corruption de nos mœurs il y a peu de gens qui veuillent dire tout ce qu'ils croient, mais aussi à cause que plusieurs l'ignorent eux-mêmes ; car l'action de la pensée par laquelle on croit une chose, étant différente de celle par laquelle on connaît qu'on la croit, elles sont souvent l'une sans l'autre. Et entre plusieurs opinions également reçues, je ne choisissais que les plus modérées : tant à cause que ce sont toujours les plus commodes pour la pratique et vraisemblablement les meilleures, tous excès ayant coutume d'être mauvais, comme aussi afin de me détourner moins du vrai chemin, en cas que je faillisse, que si, ayant choisi l'un des extrêmes, c'eût été l'autre qu'il eût fallu suivre. Et, particulièrement, je mettais entre les excès toutes les promesses par lesquelles on retranche quelque chose de sa liberté. Non que je désapprouvasse les lois, qui, pour remédier à l'inconstance des esprits faibles, permettent, lorsqu'on a quelque bon dessein, ou même, pour la sûreté du commerce, quelque dessein qui n'est qu'indifférent, qu'on fasse des vœux ou des contrats qui obligent à y persévérer ; mais à cause que je ne voyais au monde aucune chose qui demeurât toujours en même état, et que, pour mon particulier, je me promettais de perfectionner de plus en plus mes jugements, et non point de les rendre pires, j'eusse pensé commettre une grande faute contre le bon sens, si, pource que j'approuvais alors quelque chose, je me fusse obligé de la prendre pour bonne encore après, lorsqu'elle aurait peut-être cessé de l'être, ou que j'aurais cessé de l'estimer telle.

Ma seconde maxime était d'être le plus ferme et le plus résolu en mes actions que je pourrais, et de ne suivre pas moins constamment les opinions les plus douteuses, lorsque je m'y serais une fois déterminé, que si elles eussent été très assurées[1]. Imitant en cela les voyageurs qui, se trouvant égarés en quelque forêt, ne doivent pas errer en tournoyant, tantôt d'un côté, tantôt d'un autre, ni encore moins s'arrêter en une place, mais marcher toujours le plus droit qu'ils peuvent vers un même côté, et ne le changer point pour de faibles raisons, encore que ce n'ait peut-être été au commencement que le hasard seul qui les ait déterminés à le choisir : car, par ce moyen, s'ils ne vont justement où ils désirent, ils arriveront au moins à la fin quelque part, où vraisemblablement ils seront mieux que dans le milieu d'une forêt. Et ainsi, les actions de la vie ne souffrant souvent aucun délai, c'est une vérité très certaine[2] que lorsqu'il n'est pas en notre pouvoir de discerner les plus vraies opinions, nous devons suivre les plus probables ; et même, qu'encore que nous ne remarquions point davantage de probabilité aux unes qu'aux autres, nous devons néanmoins nous déterminer à quelques-unes, et les considérer après, non plus comme douteuses, en tant qu'elles se rapportent à la pratique, mais comme très vraies et très certaines, à cause que la raison qui nous y a fait déterminer se trouve telle. Et ceci fut capable dès lors de me

1. Dans l'ordre pratique, et pour autant que l'action est urgente, la volonté doit se déterminer aussi fermement à suivre les opinions les plus probables que si elles étaient certaines. Cf. Dossier II, 1, A.

2. Il est certain qu'il faut, dans la pratique, se déterminer à suivre le probable quand nous ne pouvons discerner le vrai et que l'action n'attend pas. C'est cette certitude portant sur la nécessité de se déterminer à l'action qui permet d'éviter le remords et le repentir (autrement dit, la tristesse qui naît de ce que nous ne sommes pas certains d'avoir bien agi) à propos des actions que nous avons accomplies en nous réglant sur des opinions qui en elles-mêmes sont douteuses. Cf. note suivante.

délivrer de tous les repentirs et les remords[1], qui ont coutume d'agiter les consciences de ces esprits faibles et chancelants, qui se laissent aller inconstamment à pratiquer, comme bonnes, les choses qu'ils jugent après être mauvaises.

Ma troisième maxime était de tâcher toujours plutôt à me vaincre que la fortune et à changer mes désirs que l'ordre du monde ; et généralement, de m'accoutumer à croire qu'il n'y a rien qui soit entièrement en notre pouvoir, que nos pensées[2], en sorte qu'après que nous avons fait notre mieux, touchant les choses qui nous sont extérieures, tout ce qui manque de nous réussir est, au regard de nous, absolument impossible. Et ceci seul me semblait être suffisant pour m'empêcher de rien désirer à l'avenir que je n'acquisse, et ainsi pour me rendre content. Car notre volonté ne se portant naturellement à désirer que les choses que notre entendement lui représente en quelque façon comme possibles, il est certain que si nous considérons tous les biens qui sont hors de nous comme également éloignés de notre pouvoir, nous n'aurons pas plus de regrets de manquer de ceux qui semblent être dus à notre naissance, lorsque nous en serons privés sans notre faute, que nous avons de ne posséder pas les royaumes de la Chine ou du Mexique ; et que, faisant, comme on dit, de nécessité vertu, nous ne désirerons pas davantage

1. Descartes définira, dans les *Passions de l'âme,* le repentir comme la tristesse résultant de la conscience d'avoir mal agi (art. 63 et 191), et le remords comme la tristesse résultant du doute relatif à la bonté d'une action qu'on a accomplie (art. 177). Remords et repentir naissent donc quand nous ne sommes pas certains d'avoir bien agi. Ce thème est important dans la mesure où il s'agit là d'obstacles au contentement ; cf. la lettre à Elisabeth du 4 août 1645, AT IV, p. 266 : « il n'y a rien que le désir, et le regret et le repentir, qui puissent nous empêcher d'être contents ». Ils peuvent donc compromettre l'ambition de Descartes, quand il édicte sa morale par provision, de « vivre [...] le plus heureusement » qu'il pourra (cf. plus haut, § 1 de la Troisième partie). La maxime suivante concerne la régulation du désir.

2. Cf. Épictète, *Manuel,* I, 1. La distinction passe ici entre ce qui est entièrement en notre pouvoir, et ce qui n'est pas entièrement en notre pouvoir. Cf. Dossier II, 1, B.

d'être sains, étant malades, ou d'être libres, étant en prison, que nous faisons maintenant d'avoir des corps d'une matière aussi peu corruptible que les diamants, ou des ailes pour voler comme les oiseaux. Mais j'avoue qu'il est besoin d'un long exercice, et d'une méditation souvent réitérée, pour s'accoutumer à regarder de ce biais toutes les choses ; et je crois que c'est principalement en ceci que consistait le secret de ces philosophes, qui ont pu autrefois se soustraire de l'empire de la fortune et, malgré les douleurs et la pauvreté, disputer de la félicité avec leurs dieux [1]. Car, s'occupant sans cesse à considérer les bornes qui leur étaient prescrites par la nature, ils se persuadaient si parfaitement que rien n'était en leur pouvoir que leurs pensées, que cela seul était suffisant pour les empêcher d'avoir aucune affection pour d'autres choses ; et ils disposaient d'elles si absolument, qu'ils avaient en cela quelque raison de s'estimer plus riches, et plus puissants, et plus libres, et plus heureux qu'aucun des autres hommes [2] qui, n'ayant point cette philosophie, tant favorisés de la nature et de la fortune qu'ils puissent être, ne disposent jamais ainsi de tout ce qu'ils veulent.

Enfin, pour conclusion de cette morale [3], je m'avisai de faire une revue sur les diverses occupations qu'ont les hommes en cette vie, pour tâcher à faire choix de la meilleure ; et sans que je veuille rien dire de celles des autres, je pensai que je ne pouvais mieux que de continuer en celle-là même où je me trouvais, c'est-à-dire, que d'employer toute ma vie à cultiver ma raison, et m'avancer, autant que je pourrais, en la connaissance de la vérité, suivant la méthode que je m'étais prescrite. J'avais éprouvé de si extrêmes contentements, depuis que j'avais commencé à me servir de cette méthode,

1. Il s'agit des stoïciens.

2. Allusions aux paradoxes des stoïciens, cf. Cicéron, *De finibus*, III, XXII, 75.

3. Sur le statut particulier de cette conclusion, cf. J.-M. Beyssade, « Sur les "trois ou quatre maximes" de la morale par provision », in G. Belgioioso et al., *Descartes : il metodo e i saggi*.

que je ne croyais pas qu'on en pût recevoir de plus doux, ni de plus innocents, en cette vie ; et découvrant tous les jours par son moyen quelques vérités qui me semblaient assez importantes, et communément ignorées des autres hommes, la satisfaction que j'en avais remplissait tellement mon esprit que tout le reste ne me touchait point. Outre que les trois maximes précédentes n'étaient fondées que sur le dessein que j'avais de continuer à m'instruire : car Dieu nous ayant donné à chacun quelque lumière pour discerner le vrai d'avec le faux, je n'eusse pas cru me devoir contenter des opinions d'autrui un seul moment, si je ne me fusse proposé d'employer mon propre jugement à les examiner, lorsqu'il serait temps ; et je n'eusse su m'exempter de scrupule, en les suivant, si je n'eusse espéré de ne perdre pour cela aucune occasion d'en trouver de meilleures, en cas qu'il y en eût. Et enfin je n'eusse su borner mes désirs, ni être content, si je n'eusse suivi un chemin par lequel, pensant être assuré de l'acquisition de toutes les connaissances dont je serais capable, je le pensais être, par même moyen, de celle de tous les vrais biens qui seraient jamais en mon pouvoir ; d'autant que, notre volonté ne se portant jamais à suivre ni à fuir aucune chose, que selon que notre entendement < la > lui représente comme bonne ou mauvaise, il suffit de bien juger, pour bien faire, et de juger le mieux qu'on puisse, pour faire aussi tout son mieux, c'est-à-dire, pour acquérir toutes les vertus, et ensemble tous les autres biens, qu'on puisse acquérir[1] ; et lorsqu'on est certain que cela est, on ne saurait manquer d'être content.

Après m'être ainsi assuré de ces maximes, et les avoir mises à part, avec les vérités de la foi, qui ont toujours été les premières en ma créance, je jugeai que,

1. C'était la conception de la liberté en usage dans la perspective aristotélico-thomiste, selon laquelle la volonté est inclinée au bien, de sorte que si l'entendement juge correctement des choses bonnes et mauvaises, la volonté agit droitement. Descartes précisera, dans la quatrième *Méditation*, que la volonté n'est inclinée par la connaissance intellectuelle que là où celle-ci est évidente, cf. Dossier I, 15.

pour tout le reste de mes opinions, je pouvais librement entreprendre de m'en défaire. Et d'autant que j'espérais en pouvoir mieux venir à bout, en conversant avec les hommes, qu'en demeurant plus longtemps renfermé dans le poêle où j'avais eu toutes ces pensées, l'hiver n'était pas encore bien achevé que je me remis à voyager[1]. Et en toutes les neuf années suivantes[2], je ne fis autre chose que rouler çà et là dans le monde, tâchant d'y être spectateur plutôt qu'acteur en toutes les comédies qui s'y jouent ; et faisant particulièrement réflexion, en chaque matière, sur ce qui la pouvait rendre suspecte, et nous donner occasion de nous méprendre, je déracinais cependant de mon esprit toutes les erreurs qui s'y étaient pu glisser auparavant. Non que j'imitasse pour cela les sceptiques, qui ne doutent que pour douter, et affectent d'être toujours irrésolus : car au contraire, tout mon dessein ne tendait qu'à m'assurer, et à rejeter la terre mouvante et le sable, pour trouver le roc ou l'argile. Ce qui me réussissait, ce me semble, assez bien, d'autant que, tâchant à découvrir la fausseté ou l'incertitude des propositions que j'examinais, non par de faibles conjectures, mais par des raisonnements clairs et assurés, je n'en rencontrais point de si douteuses, que je n'en tirasse toujours quelque conclusion assez certaine, quand ce n'eût été que cela même qu'elle ne contenait rien de certain. Et comme en abattant un vieux logis, on en réserve ordinairement les démolitions pour servir à en bâtir un nouveau, ainsi, en détruisant toutes celles de mes opinions que je jugeais être mal fondées, je faisais diverses observations et acquérais plusieurs expériences, qui m'ont servi depuis à en établir de plus certaines. Et, de plus, je continuais à m'exercer en la méthode que je m'étais prescrite ; car, outre que j'avais soin de conduire généralement toutes mes pensées selon ses règles, je me réservais de temps en temps quelques heures, que j'employais particulièrement à la

1. En mars ou avril 1619.
2. Jusqu'en 1628.

pratiquer en des difficultés de mathématique, ou même aussi en quelques autres que je pouvais rendre quasi semblables à celles des mathématiques, en les détachant de tous les principes des autres sciences, que je ne trouvais pas assez fermes, comme vous verrez que j'ai fait en plusieurs qui sont expliquées en ce volume [1]. Et ainsi, sans vivre d'autre façon, en apparence, que ceux qui, n'ayant aucun emploi qu'à passer une vie douce et innocente, s'étudient à séparer les plaisirs des vices, et qui, pour jouir de leur loisir sans s'ennuyer, usent de tous les divertissements qui sont honnêtes, je ne laissais pas de poursuivre en mon dessein, et de profiter en la connaissance de la vérité, peut-être plus que si je n'eusse fait que lire des livres, ou fréquenter des gens de lettres.

Toutefois, ces neuf ans s'écoulèrent avant que j'eusse encore pris aucun parti, touchant les difficultés qui ont coutume d'être disputées entre les doctes, ni commencé à chercher les fondements d'aucune philosophie plus certaine que la vulgaire. Et l'exemple de plusieurs excellents esprits [2], qui, en ayant eu ci-devant le dessein, me semblaient n'y avoir pas réussi, m'y faisait imaginer tant de difficulté, que je n'eusse peut-être pas encore sitôt osé l'entreprendre, si je n'eusse vu que quelques-uns faisaient déjà courre le bruit que j'en étais venu à bout. Je ne saurais pas dire sur quoi ils fondaient cette opinion ; et si j'y ai contribué quelque chose par mes discours, ce doit avoir été en confessant plus ingénument ce que j'ignorais, que n'ont coutume de faire ceux qui ont un peu étudié, et peut-être aussi en faisant voir les raisons que j'avais de douter de beaucoup de choses que les autres estiment certaines, plutôt qu'en me vantant d'aucune doctrine. Mais ayant le cœur assez bon pour ne point vouloir qu'on me prît pour autre que je n'étais, je pensai qu'il fallait que je

1. Allusion à la *Dioptrique* et aux *Météores*, qui accompagnaient le *Discours*.

2. Il s'agit en particulier de F. Bacon (1561-1626), qui prétendait fonder la science par la méthode expérimentale.

tâchasse, par tous moyens, à me rendre digne de la réputation qu'on me donnait ; et il y a justement huit ans[1], que ce désir me fit résoudre à m'éloigner de tous les lieux où je pouvais avoir des connaissances, et à me retirer ici[2], en un pays où la longue durée de la guerre[3] a fait établir de tels ordres, que les armées qu'on y entretient ne semblent servir qu'à faire qu'on y jouisse des fruits de la paix avec d'autant plus de sûreté, et où parmi la foule d'un grand peuple fort actif, et plus soigneux de ses propres affaires, que curieux de celles d'autrui, sans manquer d'aucune des commodités qui sont dans les villes les plus fréquentées, j'ai pu vivre aussi solitaire et retiré que dans les déserts les plus écartés[4].

1. En septembre 1628.
2. En Hollande
3. Il s'agit de la guerre des Provinces-Unies contre l'Espagne.
4. Sur ces raisons de choisir la Hollande, cf. la lettre à Balzac du 5 mai 1631, AT I, p. 203-204.

QUATRIÈME PARTIE

Je ne sais si je dois vous entretenir des premières méditations que j'y ai faites ; car elles sont si métaphysiques[1] et si peu communes, qu'elles ne seront peut-être pas au goût de tout le monde. Et toutefois, afin qu'on puisse juger si les fondements que j'ai pris sont assez fermes, je me trouve en quelque façon contraint d'en parler. J'avais dès longtemps remarqué que, pour les mœurs, il est besoin quelquefois de suivre des opinions qu'on sait être fort incertaines, tout de même que si elles étaient indubitables, ainsi qu'il a été dit ci-dessus ; mais, pource qu'alors je désirais vaquer seulement à la recherche de la vérité, je pensai qu'il fallait que je fisse tout le contraire, et que je rejetasse, comme absolument faux, tout ce en quoi je pourrais imaginer le moindre doute, afin de voir s'il ne resterait point, après cela, quelque chose en ma créance, qui fût entièrement indubitable. Ainsi, à cause que nos sens nous trompent quelquefois, je voulus supposer qu'il n'y avait aucune chose qui fût telle qu'ils nous la font imaginer. Et pource qu'il y a des hommes qui se méprennent en raisonnant, même touchant les plus simples matières de géométrie, et y font des paralogismes,

1. C'est-à-dire qu'elles traitent de Dieu et de l'âme, objets traditionnels de la métaphysique entendue comme philosophie première, qui exigent pour être conçus que l'on détache son esprit des choses sensibles (*abducere mentem a sensibus*, cf. la lettre à Mersenne du 27 février 1637 (?), AT I, p. 351).

jugeant que j'étais sujet à faillir, autant qu'aucun autre, je rejetai comme fausses toutes les raisons que j'avais prises auparavant pour démonstrations[1]. Et enfin, considérant que toutes les mêmes pensées, que nous avons étant éveillés, nous peuvent aussi venir, quand nous dormons, sans qu'il y en ait aucune, pour lors, qui soit vraie, je me résolus de feindre que toutes les choses qui m'étaient jamais entrées dans l'esprit, n'étaient non plus vraies que les illusions de mes songes[2]. Mais aussitôt après, je pris garde que, pendant que je voulais ainsi penser que tout était faux, il fallait nécessairement que moi, qui le pensais, fusse quelque chose[3]. Et remarquant que cette vérité : *je pense, donc je suis*[4], était si ferme et si assurée, que toutes les plus extravagantes suppositions des sceptiques n'étaient pas capables de l'ébranler, je jugeai que je pouvais la recevoir, sans scrupule, pour le premier principe de la philosophie, que je cherchais.

Puis, examinant avec attention ce que j'étais, et voyant que je pouvais feindre que je n'avais aucun corps, et qu'il n'y avait aucun monde, ni aucun lieu où je fusse ; mais que je ne pouvais pas feindre, pour cela, que je n'étais point ; et qu'au contraire, de cela même

1. Descartes remet donc en cause, comme menacée d'erreur, notre faculté de raisonner, laquelle était pourtant, selon les *Regulae*, infaillible, cf. Règle II, p. 5 : « La déduction ou inférence toute pure d'une chose à partir d'une autre peut bien être omise, si on ne l'aperçoit point, mais [...] jamais l'entendement ne peut mal la faire. » Il en résulte qu'on peut donc douter de la certitude de la géométrie elle-même.

2. Le *Discours* étant rédigé en français, et accessible ainsi à tout un chacun, ne se prête pas à un exposé détaillé des raisons de douter, par rapport aux *Méditations* ; il manque notamment l'argument du Dieu trompeur. Cf. Présentation et Dossier III, 1.

3. Cela s'explique par la conception cartésienne de la substance, cf. § suivant.

4. La deuxième *Méditation* dira « je suis, j'existe » (*ego sum, ego existo*, AT VII, p. 140). Sur la différence entre les deux formulations, cf. J.-L. Marion, « L'altérité originaire de l'*ego* », in *Questions cartésiennes II*, p. 3-47. Sur la différence entre le *cogito* et tout syllogisme, qui seule permet au *cogito* de tenir son rang de premier principe, dont la certitude est absolue, cf. Dossier I, 2.

que je pensais à douter de la vérité des autres choses, il suivait très évidemment et très certainement que j'étais ; au lieu que, si j'eusse seulement cessé de penser, encore que tout le reste de ce que j'avais jamais imaginé eût été vrai, je n'avais aucune raison de croire que j'eusse été : je connus de là que j'étais une substance [1] dont toute l'essence ou la nature n'est que de penser, et qui, pour être, n'a besoin d'aucun lieu, ni ne dépend d'aucune chose matérielle [2]. En sorte que ce moi, c'est-à-dire l'âme par laquelle je suis ce que je suis, est entièrement distincte du corps ; et même qu'elle est plus aisée à connaître que lui [3], et qu'encore qu'il ne fût point, elle ne laisserait pas d'être tout ce qu'elle est.

Après cela, je considérai en général ce qui est requis à une proposition pour être vraie et certaine : car, puisque je venais d'en trouver une que je savais être telle, je pensai que je devais aussi savoir en quoi consiste cette certitude. Et ayant remarqué qu'il n'y a rien du tout en ceci : *je pense, donc je suis,* qui m'assure que je dis la vérité, sinon que je vois très clairement

1. Toute pensée est la propriété d'une chose qui pense, autrement dit, réfère à une substance pensante, dont elle est une modalité, en vertu du principe selon lequel le néant n'a pas de propriété. Cette propriété est d'ailleurs tout ce que nous connaissons de la substance pensante, de sorte que la connaissance de cette propriété n'est pas autre chose que la connaissance de la substance dont elle est une propriété. Sur la théorie cartésienne de la substance, cf. Dossier III, 3. Sur les principales critiques de cette interprétation substantialiste de l'*ego* dans l'histoire de la philosophie, cf. Kant, *Critique de la raison pure*, Dialectique transcendantale, Des paralogismes de la raison pure ; Husserl, *Méditations cartésiennes*, I, § 10 ; Heidegger, *Être et temps*.

2. Dans les *Méditations*, le *cogito* n'aura pas à lui seul valeur de preuve de la distinction substantielle de l'âme et du corps, cf. Présentation. Descartes s'oppose ici très fermement à toute idée de forme substantielle, autrement dit à toute idée d'une âme qui ne serait que le coprincipe d'une substance impliquant en outre le corps. L'âme est par elle seule une substance, une réalité à part entière. Sur la critique des formes substantielles, cf. Dossier I, 16.

3. Parce que, quoi que nous connaissions, nous connaissons toujours en même temps l'esprit qui est le sujet de cette connaissance, ce qui n'est pas vrai du corps. Cf. Dossier III, 4.

que, pour penser, il faut être : je jugeai que je pouvais prendre pour règle générale, que les choses que nous concevons fort clairement et fort distinctement sont toutes vraies ; mais qu'il y a seulement quelque difficulté à bien remarquer quelles sont celles que nous concevons distinctement[1].

En suite de quoi, faisant réflexion sur ce que je doutais, et que, par conséquent, mon être n'était pas tout parfait, car je voyais clairement que c'était une plus grande perfection de connaître que de douter, je m'avisai de chercher d'où j'avais appris à penser à quelque chose de plus parfait que je n'étais ; et je connus évidemment que ce devait être de quelque nature qui fût en effet plus parfaite[2]. Pour ce qui est des pensées que j'avais de plusieurs autres choses hors de moi, comme du ciel, de la terre, de la lumière, de la chaleur et de mille autres, je n'étais point tant en peine de savoir d'où elles venaient, à cause que, ne remarquant rien en elles qui me semblât les rendre supérieures à moi, je pouvais croire que, si elles étaient vraies, c'étaient des dépendances de ma nature, en tant qu'elle avait quelque perfection ; et si elles ne l'étaient pas, que je les tenais du néant, c'est-à-dire qu'elles étaient en moi pource que j'avais du défaut[3]. Mais ce ne pouvait être le même de l'idée[4] d'un être plus par-

1. Sur la clarté et la distinction, cf. Dossier I, 14.

2. Autrement dit, d'une chose de nature plus parfaite que moi et existant effectivement.

3. Dans la mesure où ce qui est vrai est quelque chose, alors que ce qui est faux n'est que du non-être conformément à la thèse, traditionnelle dans la pensée médiévale, de la convertibilité entre l'être et le vrai : *ens et verum convertuntur*. La fausseté s'explique non par une faculté positive, mais par le seul manque, ou défaut, autrement dit, par la seule limitation de notre nature.

4. C'est à Descartes qu'on doit d'avoir utilisé ce terme dans la perspective de la pensée humaine, et non plus, comme c'était la tradition depuis saint Augustin, pour désigner les archétypes des choses dans la pensée divine. Cf. les *Réponses aux troisièmes objections* (n° 5) où Descartes avoue : « je me suis servi de ce nom parce qu'il était communément reçu par les philosophes pour signifier les formes des conceptions de l'entendement divin, encore que nous ne reconnaissions en Dieu aucune fantaisie ou imagination corporelle », AT IX-1,

fait que le mien : car, de la tenir du néant, c'était chose manifestement impossible[1] ; et pource qu'il n'y a pas moins de répugnance que le plus parfait soit une suite et une dépendance du moins parfait, qu'il y en a que de rien procède quelque chose, je ne la pouvais tenir non plus de moi-même. De façon qu'il restait qu'elle eût été mise en moi par une nature qui fût véritablement plus parfaite que je n'étais, et même, qui eût en soi toutes les perfections dont je pouvais avoir quelque idée, c'est-à-dire, pour m'expliquer en un mot, qui fût Dieu. À quoi j'ajoutai que, puisque, je connaissais quelques perfections que je n'avais point, je n'étais pas le seul être qui existât (j'userai, s'il vous plaît, ici librement des mots de l'École), mais qu'il fallait, de nécessité, qu'il y en eût quelque autre plus parfait, duquel je dépendisse, et duquel j'eusse acquis tout ce que j'avais. Car, si j'eusse été seul et indépendant de tout autre, en sorte que j'eusse eu, de moi-même, tout ce peu que je participais[2] de l'être parfait, j'eusse pu avoir de moi, par même raison, tout le surplus que je connaissais me manquer, et ainsi être moi-même infini, éternel, immuable, tout connaissant, tout-puissant, et enfin avoir toutes les perfections que je pouvais remarquer être en Dieu. Car, suivant les raisonnements que je viens de faire, pour connaître la nature de Dieu autant

---

p. 141. Il s'agit dans tout ce passage de l'idée considérée, non pas en tant que mode de la pensée, mais en tant qu'elle représente une certaine nature, autrement dit, non pas de la réalité formelle de l'idée de Dieu, mais de sa réalité objective, c'est-à-dire, du fait qu'elle nous représente la nature divine. C'est de ce point de vue que cette idée ne peut s'expliquer que par la nature divine elle-même, qui seule est suffisamment parfaite pour en être l'origine. Descartes avoue au P. Vatier, dans sa lettre du 22 février 1638, qu'il y a de l'obscurité dans la démonstration du *Discours*. Cf. Dossier III, 5, A-B.

1. En vertu de l'axiome de la lumière naturelle selon lequel le néant ne produit rien, qui implique aussi que le moins parfait ne produit pas le plus parfait.

2. Selon la terminologie traditionnelle, en usage notamment chez Thomas d'Aquin, posséder quelque perfection par participation signifie ne pas possèder cette perfection par essence, autrement dit, par soi-même. Cela implique que la perfection en question n'est possédée qu'imparfaitement.

que la mienne en était capable, je n'avais qu'à considérer de toutes les choses dont je trouvais en moi quelque idée, si c'était perfection, ou non, de les posséder, et j'étais assuré qu'aucune de celles qui marquaient quelque imperfection n'était en lui, mais que toutes les autres y étaient. Comme je voyais que le doute, l'inconstance, la tristesse, et choses semblables, n'y pouvaient être, vu que j'eusse été moi-même bien aise d'en être exempt. Puis, outre cela, j'avais des idées de plusieurs choses sensibles et corporelles : car, quoique je supposasse que je rêvais, et que tout ce que je voyais ou imaginais était faux, je ne pouvais nier toutefois que les idées n'en fussent véritablement en ma pensée : mais pource que j'avais déjà connu en moi très clairement que la nature intelligente est distincte de la corporelle, considérant que toute composition témoigne de la dépendance[1], et que la dépendance est manifestement un défaut, je jugeais de là, que ce ne pouvait être une perfection en Dieu d'être composé de ces deux natures, et que, par conséquent, il ne l'était pas ; mais que, s'il y avait quelques corps dans le monde, ou bien quelques intelligences, ou autres natures, qui ne fussent point toutes parfaites, leur être devait dépendre de sa puissance, en sorte qu'elles ne pouvaient subsister sans lui un seul moment[2].

Je voulus chercher, après cela, d'autres vérités, et m'étant proposé l'objet des géomètres, que je concevais comme un corps continu[3], ou un espace indéfini-

1. Puisque les composants sont antérieurs par nature au composé. Cet argument est propre au *Discours*.

2. La doctrine cartésienne de la substance finie, qui se définit par le fait de n'exiger que le seul concours de Dieu pour exister, rejoint la thèse traditionnelle de la création continuée. Cf. *Méditation* III, AT IX-1, p. 39 : « Une substance, pour être conservée dans tous les moments qu'elle dure, a besoin du même pouvoir et de la même action qui serait nécessaire pour la produire et la créer tout de nouveau, si elle n'était point encore. En sorte que la lumière naturelle nous fait voir clairement, que la conservation et la création ne diffèrent qu'au regard de notre façon de penser, et non point en effet. »

3. C'est-à-dire qui ne laisse aucune place au vide, conformément à l'identification cartésienne du corps à l'étendue ou à l'espace, cf. Dossier IV, 1.

ment étendu[1] en longueur, largeur et hauteur ou profondeur, divisible en diverses parties[2], qui pouvaient avoir diverses figures et grandeurs, et être mues ou transposées en toutes sortes, car les géomètres supposent tout cela en leur objet, je parcourus quelques-unes de leurs plus simples démonstrations. Et ayant pris garde que cette grande certitude que tout le monde leur attribue, n'est fondée que sur ce qu'on les conçoit évidemment, suivant la règle que j'ai tantôt dite, je pris garde aussi qu'il n'y avait rien du tout en elles qui m'assurât de l'existence de leur objet. Car, par exemple, je voyais bien que, supposant un triangle, il fallait que ses trois angles fussent égaux à deux droits ; mais je ne voyais rien pour cela qui m'assurât qu'il y eût au monde aucun triangle. Au lieu que, revenant à examiner l'idée que j'avais d'un Être parfait, je trouvais que l'existence y était comprise[3], en même façon qu'il

1. Cf. *Principes*, II, 21, AT IX-2, p. 74 : « Ce monde, ou la matière étendue qui compose l'univers, n'a point de bornes, parce que, quelque part où nous en veuillons feindre, nous pouvons encore imaginer au-delà des espaces indéfiniment étendus, que nous n'imaginons pas seulement, mais que nous concevons être tels en effet que nous les imaginons, de sorte qu'ils contiennent un corps indéfiniment étendu, car l'idée de l'étendue que nous concevons en quelque espace que ce soit, est la vraie idée que nous devons avoir du corps. » Sur la distinction entre ce qui est infini et ce qui est indéfini, cf. *Principes*, I, 26-27, AT IX-2, p. 36-37 : « Parce que nous ne saurions imaginer une étendue si grande que nous ne concevions en même temps qu'il y en peut avoir une plus grande, nous dirons que l'étendue des choses possibles est indéfinie ; et parce qu'on ne saurait diviser un corps en des parties si petites que chacune de ses parties ne puisse être divisée en d'autres plus petites, nous penserons que la quantité peut être divisée en des parties dont le nombre est indéfini [...]. Et nous appellerons ces choses indéfinies plutôt qu'infinies, afin de réserver à Dieu seul le nom d'infini ; tant à cause que nous ne remarquons point de bornes en ses perfections, comme aussi à cause que nous sommes très assurés qu'il n'y en peut avoir. »

2. Cf. *Principes*, II, 34, AT IX-2, p. 82.

3. C'est la seconde forme de la preuve cartésienne de l'existence de Dieu. Elle se fonde non plus sur un effet de Dieu (l'idée de Dieu en nous) mais sur son essence, telle que cette idée nous la fait connaître. Descartes la développera dans la cinquième *Méditation* ; cf. Dossier III, 5, C. Historiquement, elle se situe dans la lignée de l'argument exposé par saint Anselme aux chapitres II à IV du *Pros-*

est compris en celle d'un triangle que ses trois angles sont égaux à deux droits, ou en celle d'une sphère que toutes ses parties sont également distantes de son centre, ou même encore plus évidemment ; et que, par conséquent, il est pour le moins aussi certain, que Dieu, qui est cet Être parfait, est ou existe, qu'aucune démonstration de géométrie le saurait être [1].

Mais ce qui fait qu'il y en a plusieurs qui se persuadent qu'il y a de la difficulté à le connaître, et même aussi à connaître ce que c'est que leur âme, c'est qu'ils n'élèvent jamais leur esprit au-delà des choses sensibles, et qu'ils sont tellement accoutumés à ne rien considérer qu'en l'imaginant, qui est une façon de penser particulière pour les choses matérielles, que tout ce qui n'est pas imaginable, leur semble n'être pas intelligible. Ce qui est assez manifeste de ce que même les philosophes tiennent pour maxime, dans les écoles, qu'il n'y a rien dans l'entendement qui n'ait premièrement été dans le sens [2], où toutefois il est certain que les idées de Dieu et de l'âme n'ont jamais été. Et il me semble que ceux qui veulent user de leur imagination, pour les comprendre, font tout de même que si, pour ouïr les sons, ou sentir les odeurs, ils se voulaient servir de leurs yeux : sinon qu'il y a encore cette différence,

---

logion, bien que Descartes n'ait sans doute connu celui-ci qu'à travers la critique qu'en donne Thomas d'Aquin (*Somme de théologie*, I^{a}, q. 2, a. 1). Cet argument sera critiqué par Kant, sous le nom de « preuve ontologique », notamment dans la *Critique de la raison pure*, Dialectique transcendantale, L'idéal de la raison pure, quatrième section.

1. Cf. la lettre à Mersenne du 27 février 1637 (?), AT I, p. 350-351 : « Je me persuade que ceux qui prendront bien garde à mes raisons touchant l'existence de Dieu, les trouveront d'autant plus démonstratives, qu'ils mettront plus de peine à en chercher les défauts, et je les prétends plus claires en elles-mêmes qu'aucune des démonstrations des géomètres ; en sorte qu'elles ne me semblent obscures qu'au regard de ceux qui ne savent pas *abducere mentem a sensibus*. ». On voit que la supériorité de la métaphysique sur la géométrie, c'est d'abord la supériorité de l'esprit pur sur l'entendement aidé de l'imagination.

2. C'est l'adage de la scolastique d'inspiration aristotélicienne : *Nihil est in intellectu quod prius non fuerit in sensu*.

que le sens de la vue ne nous assure pas moins de la vérité de ses objets, que font ceux de l'odorat et de l'ouïe ; au lieu que ni notre imagination ni nos sens ne nous sauraient jamais assurer d'aucune chose, si notre entendement n'y intervient [1].

Enfin s'il y a encore des hommes qui ne soient pas assez persuadés de l'existence de Dieu, et de leur âme, par les raisons que j'ai apportées, je veux bien qu'ils sachent que toutes les autres choses, dont ils se pensent peut-être plus assurés, comme d'avoir un corps, et qu'il y a des astres et une terre, et choses semblables, sont moins certaines. Car, encore qu'on ait une assurance morale [2] de ces choses, qui est telle, qu'il semble qu'à moins que d'être extravagant, on n'en peut douter, toutefois aussi, à moins que d'être déraisonnable, lorsqu'il est question d'une certitude métaphysique, on ne peut nier que ce soit assez de sujet, pour n'en être pas entièrement assuré, que d'avoir pris garde qu'on peut, en même façon, s'imaginer, étant endormi, qu'on a un autre corps, et qu'on voit d'autres astres, et une autre terre, sans qu'il en soit rien [3]. Car d'où sait-on que les pensées qui viennent en songe sont plutôt fausses que les autres, vu que souvent elles ne sont pas moins vives et expresses ? Et que les meilleurs esprits y étudient, tant qu'il leur plaira, je ne crois pas qu'ils puissent donner aucune raison qui soit suffisante pour ôter ce doute, s'ils ne présupposent l'existence de Dieu. Car, premièrement, cela même que j'ai tantôt pris pour une règle, à savoir que les choses que nous concevons très clairement et très distinctement sont

1. Toute expérience certaine implique le regard de l'esprit, cf. Dossier I, 9, A.

2. C'est-à-dire une assurance « suffisante pour régler nos mœurs, ou aussi grande que celle des choses dont nous n'avons point coutume de douter touchant la conduite de la vie », cette certitude se distingue de la certitude métaphysique, qui a lieu « lorsque nous pensons qu'il n'est aucunement possible que la chose soit autre que nous la jugeons », *Principes*, IV, 205-206, AT IX-2, p. 323-324.

3. Dans la mesure où l'imagination, comme Descartes vient de le rappeler, ne porte que sur les choses matérielles, ce doute issu de l'expérience du rêve n'atteint ni Dieu ni l'âme.

toutes vraies, n'est assuré qu'à cause que Dieu est ou existe, et qu'il est un être parfait, et que tout ce qui est en nous vient de lui[1]. D'où il suit que nos idées ou notions, étant des choses réelles, et qui viennent de Dieu, en tout ce en quoi elles sont claires et distinctes, ne peuvent en cela être que vraies[2]. En sorte que, si nous en avons assez souvent qui contiennent de la fausseté, ce ne peut être que de celles qui ont quelque chose de confus et obscur, à cause qu'en cela elles participent du néant, c'est-à-dire, qu'elles ne sont en nous ainsi confuses, qu'à cause que nous ne sommes pas tout parfaits. Et il est évident qu'il n'y a pas moins de répugnance que la fausseté ou l'imperfection procède de Dieu, en tant que telle, qu'il y en a, que la vérité ou la perfection procède du néant. Mais si nous ne savions point que tout ce qui est en nous de réel et de vrai, vient d'un être parfait et infini, pour claires et distinctes que fussent nos idées, nous n'aurions aucune raison qui nous assurât qu'elles eussent la perfection d'être vraies.

Or, après que la connaissance de Dieu et de l'âme nous a ainsi rendus certains de cette règle, il est bien aisé à connaître que les rêveries que nous imaginons étant endormis, ne doivent aucunement nous faire douter de la vérité des pensées que nous avons étant éveillés. Car, s'il arrivait, même en dormant, qu'on eût quelque idée fort distincte, comme, par exemple, qu'un géomètre inventât quelque nouvelle démonstration, son sommeil ne l'empêcherait pas d'être vraie. Et pour l'erreur la plus ordinaire de nos songes, qui consiste en ce qu'ils nous représentent divers objets en même façon que font nos sens extérieurs, n'importe pas qu'elle nous donne occasion de nous défier de la

1. Il ne s'agit pas ici de fonder le principe en question, mais plutôt de convaincre ceux qui ont du mal à admettre l'existence de Dieu qu'ils la présupposent déjà en ce qu'ils admettent ce principe.

2. La vérité des idées claires et distinctes se fonde sur leur réalité. C'est ainsi la perfection même de ces idées qui nous indique qu'elles viennent de Dieu. Et le fait qu'elles viennent de Dieu, qui est tout parfait, signifie qu'elles sont vraies.

vérité de telles idées, à cause qu'elles peuvent aussi nous tromper assez souvent, sans que nous dormions : comme lorsque ceux qui ont la jaunisse voient tout de couleur jaune, ou que les astres ou autres corps fort éloignés nous paraissent beaucoup plus petits qu'ils ne sont. Car enfin, soit que nous veillions, soit que nous dormions, nous ne nous devons jamais laisser persuader qu'à l'évidence de notre raison. Et il est à remarquer que je dis, de notre raison, et non point, de notre imagination ni de nos sens. Comme, encore que nous voyions le soleil très clairement, nous ne devons pas juger pour cela qu'il ne soit que de la grandeur que nous le voyons ; et nous pouvons bien imaginer distinctement une tête de lion entée sur le corps d'une chèvre, sans qu'il faille conclure, pour cela, qu'il y ait au monde une chimère : car la raison ne nous dicte point que ce que nous voyons ou imaginons ainsi soit véritable. Mais elle nous dicte bien que toutes nos idées ou notions doivent avoir quelque fondement de vérité ; car il ne serait pas possible que Dieu, qui est tout parfait et tout véritable, les eût mises en nous sans cela. Et pource que nos raisonnements ne sont jamais si évidents ni si entiers pendant le sommeil que pendant la veille, bien que quelquefois nos imaginations soient alors autant plus vives et expresses, elle nous dicte aussi que nos pensées ne pouvant être toutes vraies, à cause que nous ne sommes pas tout parfaits, ce qu'elles ont de vérité doit infailliblement se rencontrer en celles que nous avons étant éveillés, plutôt qu'en nos songes.

CINQUIÈME PARTIE

Je serais bien aise de poursuivre, et de faire voir ici toute la chaîne des autres vérités que j'ai déduites de ces premières. Mais, à cause que, pour cet effet, il serait maintenant besoin que je parlasse de plusieurs questions, qui sont en controverse entre les doctes, avec lesquels je ne désire point me brouiller, je crois qu'il sera mieux que je m'en abstienne, et que je dise seulement en général quelles elles sont, afin de laisser juger aux plus sages s'il serait utile que le public en fût plus particulièrement informé. Je suis toujours demeuré ferme en la résolution que j'avais prise, de ne supposer aucun autre principe que celui dont je viens de me servir pour démontrer l'existence de Dieu et de l'âme, et de ne recevoir aucune chose pour vraie, qui ne me semblât plus claire et plus certaine que n'avaient fait auparavant les démonstrations des géomètres. Et néanmoins, j'ose dire que, non seulement j'ai trouvé moyen de me satisfaire en peu de temps, touchant toutes les principales difficultés dont on a coutume de traiter en la philosophie, mais aussi que j'ai remarqué certaines lois, que Dieu a tellement établies en la nature, et dont il a imprimé de telles notions en nos âmes, qu'après y avoir fait assez de réflexion, nous ne saurions douter qu'elles ne soient exactement observées, en tout ce qui est ou qui se fait dans le monde[1]. Puis, en

1. Il y a deux types de lois, les trois lois fondamentales du mouvement, qui découlent de l'immutabilité divine, et les lois qui découlent

considérant la suite de ces lois, il me semble avoir découvert plusieurs vérités plus utiles et plus importantes que tout ce que j'avais appris auparavant, ou même espéré d'apprendre.

Mais pource que j'ai tâché d'en expliquer les principes dans un traité, que quelques considérations m'empêchent de publier [1], je ne les saurais mieux faire connaître, qu'en disant ici sommairement ce qu'il contient. J'ai eu dessein d'y comprendre tout ce que je pensais savoir, avant que de l'écrire, touchant la nature des choses matérielles. Mais, tout de même que les peintres, ne pouvant également bien représenter dans un tableau plat toutes les diverses faces d'un corps solide, en choisissent une des principales qu'ils mettent seule vers le jour, et ombrageant les autres, ne les font paraître qu'en tant qu'on les peut voir en la regardant : ainsi, craignant de ne pouvoir mettre en mon discours tout ce que j'avais en la pensée, j'entrepris seulement d'y exposer bien amplement ce que je concevais de la lumière ; puis, à son occasion, d'y ajouter quelque chose du soleil et des étoiles fixes, à cause qu'elle en procède presque toute [2] ; des cieux, à cause qu'ils la transmettent ; des planètes, des comètes et de la terre, à cause qu'elles la font réfléchir ; et en particulier de tous les corps qui sont sur la terre à cause qu'ils ont ou colorés, ou transparents, ou lumineux ; et enfin de l'homme, à cause qu'il en est le spectateur [3]. Même, pour ombrager un peu toutes ces choses, et pouvoir dire plus librement ce que j'en jugeais, sans être obligé de suivre ni de réfuter les opinions qui sont reçues entre les doctes, je me résolus de laisser tout ce monde

---

des vérités mathématiques créées par Dieu et imprimées en nos esprits. Cf. Dossier IV, 2, A-B.

1. *Le Monde ou Traité de la lumière*, rédigé vers 1629, que Descartes a renoncé à publier à cause de la condamnation de Galilée. Cf. Présentation.

2. Hormis le soleil et les étoiles fixes, il n'y a que le feu qui soit source de lumière.

3. Partie du traité publiée à part, elle aussi à titre posthume, et connue sous le titre *L'Homme*.

ici à leurs disputes et de parler seulement de ce qui arriverait dans un nouveau[1], si Dieu créait maintenant quelque part, dans les espaces imaginaires, assez de matière pour le composer, et qu'il agitât diversement et sans ordre les diverses parties de cette matière, en sorte qu'il en composât un chaos aussi confus que les poètes en puissent feindre, et que, par après, il ne fît autre chose que prêter son concours ordinaire[2] à la nature, et la laisser agir suivant les lois qu'il a établies. Ainsi, premièrement, je décrivis cette matière et tâchai de la représenter telle qu'il n'y a rien au monde, ce me semble, de plus clair ni plus intelligible, excepté ce qui a tantôt été dit de Dieu et de l'âme[3] : car même je supposai, expressément, qu'il n'y avait en elle aucune de ces formes ou qualités[4] dont on dispute dans les écoles, ni généralement aucune chose, dont la connaissance ne fût si naturelle à nos âmes, qu'on ne pût pas même feindre de l'ignorer. De plus, je fis voir quelles étaient les lois de la nature ; et, sans appuyer mes raisons sur aucun autre principe que sur les perfections infinies de Dieu[5], je

1. Cf. *Le Monde*, chap. VI : « Description d'un nouveau Monde ; et des qualités de la matière dont il est composé. » Descartes adopte ce point de vue en particulier pour que sa description de la formation du monde ne heurte pas le récit de la Genèse, selon lequel le monde a été créé dans sa perfection actuelle. Cf. Dossier IV, 1.

2. Action de conservation du monde conforme aux lois qui le régissent, qui se distingue du concours extraordinaire, par lequel Dieu intervient dans la nature en dérogeant aux lois naturelles.

3. Il s'agit de la conception de la matière comme étendue géométrique, Descartes s'oppose ici à la tradition aristotélicienne qui la considérait comme inintelligible. Cf. Dossier IV, 1.

4. Il s'agit des formes substantielles et des qualités réelles, qui sont selon Descartes des représentations confuses de la matière, en ce qu'elles mêlent à la notion du corps des déterminations qui relèvent de la pensée. Ainsi, la forme substantielle est l'attribution au corps, pour expliquer ses propriétés, et en particulier son mouvement, d'un principe immatériel conçu sur le modèle de l'âme ; les qualités réelles sont la projection sur les corps des sensations que nous éprouvons à leur occasion, qui sont seulement dans notre pensée et ne ressemblent en rien aux corps à propos desquels nous les éprouvons. Cf. Dossier I, 16.

5. Les trois lois fondamentales du mouvement sont fondées sur l'immutabilité de la nature divine. Cf. Dossier IV, 2, A.

tâchai à démontrer toutes celles dont on eût pu avoir quelque doute, et à faire voir qu'elles sont telles, qu'encore que Dieu aurait créé plusieurs mondes, il n'y en saurait avoir aucun où elles manquassent d'être observées. Après cela, je montrai comment la plus grande part de la matière de ce chaos devait, en suite de ces lois, se disposer et s'arranger d'une certaine façon qui la rendait semblable à nos cieux ; comment, cependant, quelques-unes de ses parties devaient composer une terre, et quelques-unes des planètes et des comètes, et quelques autres un soleil et des étoiles fixes. Et ici, m'étendant sur le sujet de la lumière, j'expliquai bien au long quelle était celle qui se devait trouver dans le soleil et les étoiles, et comment de là elle traversait en un instant les immenses espaces des cieux, et comment elle se réfléchissait des planètes et des comètes vers la terre. J'y ajoutai aussi plusieurs choses, touchant la substance, la situation, les mouvements et toutes les diverses qualités de ces cieux et de ces astres ; en sorte que je pensais en dire assez pour faire connaître qu'il ne se remarque rien en ceux de ce monde, qui ne dût, ou du moins qui ne pût, paraître tout semblable en ceux du monde que je décrivais. De là je vins à parler particulièrement de la terre : comment, encore que j'eusse expressément supposé que Dieu n'avait mis aucune pesanteur en la matière dont elle était composée [1], toutes ses parties ne laissaient pas de tendre exactement vers son centre ; comment, y ayant de l'eau et de l'air sur sa superficie, la disposition

1. La pesanteur est selon Descartes une qualité réelle, c'est-à-dire une notion confuse, en ce qu'elle mêle des déterminations corporelles et spirituelles. Cf. la lettre à Mersenne de juin ou juillet 1635, AT I, p. 324 : « Je ne crois point [...] que les corps pesants descendent par quelque *qualité réelle*, nommée *pesanteur*, telle que les philosophes l'imaginent » ; *Sixièmes réponses*, AT IX-1, p. 240-241 : « Ce qui fait mieux paraître que cette idée de la pesanteur avait été tirée en partie de celle que j'avais de mon esprit, est que je pensais que la pesanteur portait les corps vers le centre de la terre, comme si elle eût eu en soi quelque connaissance de ce centre : car certainement il n'est pas possible que cela se fasse sans connaissance, et partout où il y a connaissance, il faut qu'il y ait de l'esprit. »

des cieux et des astres, principalement de la lune, y devait causer un flux et reflux qui fût semblable, en toutes ses circonstances, à celui qui se remarque dans nos mers ; et outre cela un certain cours, tant de l'eau que de l'air, du levant vers le couchant, tel qu'on le remarque aussi entre les tropiques ; comment les montagnes, les mers, les fontaines et les rivières pouvaient naturellement s'y former, et les métaux y venir dans les mines, et les plantes y croître dans les campagnes, et généralement tous les corps qu'on nomme mêlés ou composés s'y engendrer. Et entre autres choses, à cause qu'après les astres je ne connais rien au monde que le feu qui produise de la lumière, je m'étudiai à faire entendre bien clairement tout ce qui appartient à sa nature, comment il se fait, comment il se nourrit ; comment il n'a quelquefois que de la chaleur sans la lumière, et quelquefois que de la lumière sans chaleur ; comment il peut introduire diverses couleurs en divers corps, et diverses autres qualités ; comment il en fond quelques-uns, et en durcit d'autres ; comment il les peut consommer presque tous, ou convertir en cendres et en fumée ; et enfin comment de ces cendres, par la seule violence de son action, il forme du verre : car cette transmutation de cendres en verre me semblant être aussi admirable qu'aucune autre qui se fasse en la nature, je pris particulièrement plaisir à la décrire.

Toutefois, je ne voudrais pas inférer de toutes ces choses, que ce monde ait été créé en la façon que je proposais ; car il est bien plus vraisemblable que, dès le commencement, Dieu l'a rendu tel qu'il devait être. Mais il est certain, et c'est une opinion communément reçue entre les théologiens, que l'action, par laquelle maintenant il le conserve, est toute la même que celle par laquelle il l'a créé [1] ; de façon qu'encore qu'il ne lui aurait point donné, au commencement, d'autre forme que celle du chaos, pourvu qu'ayant établi les lois de la nature, il lui prêtât son concours, pour agir ainsi

1. C'est la doctrine de la création continuée, cf. Quatrième partie, note 2, p. 70.

qu'elle a de coutume, on peut croire, sans faire tort au miracle de la création, que par cela seul toutes les choses qui sont purement matérielles auraient pu, avec le temps, s'y rendre telles que nous les voyons à présent[1]. Et leur nature est bien plus aisée à concevoir, lorsqu'on les voit naître peu à peu en cette sorte, que lorsqu'on ne les considère que toutes faites[2].

De la description des corps inanimés et des plantes, je passai à celle des animaux et particulièrement à celle des hommes. Mais, pource que je n'en avais pas encore assez de connaissance pour en parler du même style que du reste, c'est-à-dire en démontrant les effets par les causes, et faisant voir de quelles semences, et en quelle façon, la nature les doit produire, je me contentai de supposer que Dieu formât le corps d'un homme, entièrement semblable à l'un des nôtres, tant en la figure extérieure de ses membres qu'en la conformation intérieure de ses organes, sans le composer d'autre matière que de celle que j'avais décrite[3], et sans mettre en lui, au commencement, aucune âme raisonnable, ni aucune autre chose pour y servir d'âme végétante ou sensitive[4], sinon qu'il excitât en son cœur un de ces feux sans lumière[5], que j'avais déjà expliqués, et que je ne concevais point d'autre nature que celui qui échauffe le foin, lorsqu'on l'a renfermé avant qu'il fût sec, ou qui fait bouillir les vins nouveaux, lorsqu'on les

1. Sans faire tort au miracle de la création, parce que ce serait alors par l'action de conservation, qui est de même nature que l'action créatrice, que dans ce cas les choses seraient devenues telles qu'elles sont.

2. Cf. *Principes*, III, 45.

3. C'est-à-dire la matière comme étendue géométrique, débarrassée de toute forme substantielle et de toute qualité réelle, autrement dit de tout principe spirituel. Cf. Dossier V, 1.

4. L'âme végétative et l'âme sensitive étaient, dans la tradition aristotélicienne, les principes des fonctions végétatives et sensitives du corps, qui ne s'expliquaient donc pas par la seule matière.

5. C'est cette chaleur du cœur qui est pour Descartes l'unique principe de toutes les fonctions biologiques, et ce feu « n'est point d'autre nature que tous les feux qui sont dans les corps inanimés », *L'Homme*, AT XI, p. 202. Cf. Dossier V, 1-2.

fait cuver sur la râpe[1]. Car, examinant les fonctions qui pouvaient en suite de cela être en ce corps, j'y trouvais exactement toutes celles qui peuvent être en nous sans que nous y pensions, ni par conséquent que notre âme, c'est-à-dire cette partie distincte du corps dont il a été dit ci-dessus que la nature n'est que de penser, y contribue, et qui sont toutes les mêmes en quoi on peut dire que les animaux sans raison nous ressemblent : sans que j'y en pusse pour cela trouver aucune de celles qui, étant dépendantes de la pensée, sont les seules qui nous appartiennent en tant qu'hommes, au lieu que je les y trouvais toutes par après, ayant supposé que Dieu créât une âme raisonnable, et qu'il la joignît à ce corps en certaine façon que je décrivais.

Mais, afin qu'on puisse voir en quelle sorte j'y traitais cette matière, je veux mettre ici l'explication du mouvement du cœur et des artères, qui étant le premier et le plus général qu'on observe dans les animaux, on jugera facilement de lui ce qu'on doit penser de tous les autres. Et afin qu'on ait moins de difficulté à entendre ce que j'en dirai, je voudrais que ceux qui ne sont point versés dans l'anatomie prissent la peine, avant que de lire ceci, de faire couper devant eux[2] le cœur de quelque grand animal qui ait des poumons, car il est en tous assez semblable à celui de l'homme, et qu'ils se fissent montrer les deux chambres ou concavités[3] qui y sont. Premièrement, celle qui est dans son côté droit, à laquelle répondent deux tuyaux fort larges : à savoir la veine cave, qui est le principal réceptacle du sang, et comme le tronc de l'arbre dont toutes les autres veines du corps sont les branches, et la veine artérieuse[4], qui a été ainsi mal nommée, pource que c'est en effet une artère, laquelle,

1. C'est-à-dire sur le marc.

2. Descartes a beaucoup pratiqué la dissection. Cf. la lettre à Mersenne du 20 février 1639, AT II, p. 525 : « J'ai considéré [...] plusieurs choses plus particulières [...] en faisant moi-même la dissection de divers animaux. C'est un exercice où je me suis souvent occupé depuis onze ans. »

3. Les ventricules.

4. L'artère pulmonaire.

prenant son origine du cœur, se divise, après en être sortie, en plusieurs branches qui se vont répandre partout dans les poumons. Puis, celle qui est dans son côté gauche, à laquelle répondent en même façon deux tuyaux, qui sont autant ou plus larges que les précédents : à savoir l'artère veineuse[1], qui a été aussi mal nommée, à cause qu'elle n'est autre chose qu'une veine, laquelle vient des poumons, où elle est divisée en plusieurs branches, entrelacées avec celles de la veine artérieuse, et celles de ce conduit qu'on nomme le sifflet[2], par où entre l'air de la respiration ; et la grande artère[3], qui, sortant du cœur, envoie ses branches par tout le corps. Je voudrais aussi qu'on leur montrât soigneusement les onze petites peaux[4], qui, comme autant de petites portes, ouvrent et ferment les quatre ouvertures qui sont en ces deux concavités : à savoir, trois à l'entrée de la veine cave[5], où elles sont tellement disposées, qu'elles ne peuvent aucunement empêcher que le sang qu'elle contient ne coule dans la concavité droite du cœur, et toutefois empêchent exactement qu'il n'en puisse sortir ; trois à l'entrée de la veine artérieuse[6], qui, étant disposées tout au contraire, permettent bien au sang, qui est dans cette concavité, de passer dans les poumons, mais non pas à celui qui est dans les poumons d'y retourner ; et ainsi deux autres à l'entrée de l'artère veineuse[7], qui laissent couler le sang des poumons vers la concavité gauche du cœur, mais s'opposent à son retour ; et trois à l'entrée de la grande artère[8], qui lui permettent de sortir du cœur, mais l'empêchent d'y retourner. Et il n'est point besoin de chercher d'autre raison du nombre de ces peaux, sinon que l'ouverture de l'artère veineuse, étant en ovale à cause du lieu où elle

1. Les veines pulmonaires.
2. La trachée-artère.
3. L'aorte.
4. Les valvules.
5. La valvule tricuspide.
6. Les valvules sigmoïdes de l'artère pulmonaire.
7. La valvule mitrale ou bicuspide.
8. Les trois valvules sigmoïdes de l'aorte.

se rencontre, peut être commodément fermée avec deux, au lieu que les autres, étant rondes, le peuvent mieux être avec trois. De plus, je voudrais qu'on leur fît considérer que la grande artère et la veine artérieuse sont d'une composition beaucoup plus dure et plus ferme [1] que ne sont l'artère veineuse et la veine cave ; et que ces deux dernières s'élargissent avant que d'entrer dans le cœur, et y font comme deux bourses, nommées les oreilles du cœur [2], qui sont composées d'une chair semblable à la sienne ; et qu'il y a toujours plus de chaleur dans le cœur qu'en aucun autre endroit du corps [3] ; et, enfin, que cette chaleur est capable de faire que, s'il entre quelque goutte de sang en ses concavités, elle s'enfle promptement et se dilate, ainsi que font généralement toutes les liqueurs, lorsqu'on les laisse tomber goutte à goutte en quelque vaisseau qui est fort chaud.

Car, après cela, je n'ai besoin de dire autre chose pour expliquer le mouvement du cœur, sinon que, lorsque ses concavités ne sont pas pleines de sang, il y en coule nécessairement de la veine cave dans la droite, et de l'artère veineuse dans la gauche ; d'autant que ces deux vaisseaux en sont toujours pleins, et que leurs ouvertures, qui regardent vers le cœur, ne peuvent alors être bouchées ; mais que sitôt qu'il est entré ainsi deux gouttes de sang, une en chacune de ses concavités, ces gouttes, qui ne peuvent être que fort grosses, à cause que les ouvertures par où elles entrent sont fort larges, et les vaisseaux d'où elles viennent fort pleins de sang, se raréfient et se dilatent, à cause de la chaleur qu'elles y trouvent, au moyen de quoi, faisant enfler tout le cœur [4], elles poussent et ferment les cinq petites portes qui sont

1. Parce que ce sont des artères et non des veines, et que le sang y bat plus fort.

2. Les oreillettes.

3. Descartes considère, à la suite d'Aristote *De partibus animalium*, III, 7, 670a24-26, que le cœur est l'endroit le plus chaud du corps, ce qui commande son explication erronée du mouvement du cœur.

4. Descartes considère que le cœur est un organe passif dont tout le mouvement vient de la pression du sang dilaté par la chaleur des parois des ventricules et de son refroidissement dans l'artère pulmonaire et l'aorte.

aux entrées des deux vaisseaux d'où elles viennent, empêchant ainsi qu'il ne descende davantage de sang dans le cœur ; et continuant à se raréfier de plus en plus, elles poussent et ouvrent les six autres petites portes, qui sont aux entrées de deux vaisseaux par où elles sortent, faisant enfler par ce moyen toutes les branches de la veine artérieuse et de la grande artère [1], quasi au même instant que le cœur ; lequel, incontinent après, se désenfle, comme font aussi ces artères, à cause que le sang qui y est entré s'y refroidit, et leurs six petites portes se referment, et les cinq de la veine cave et de l'artère veineuse se rouvrent, et donnent passage à deux autres gouttes de sang, qui font derechef enfler le cœur et les artères, tout de même que les précédentes. Et pource que le sang, qui entre ainsi dans le cœur, passe par ces deux bourses qu'on nomme ses oreilles, de là vient que leur mouvement est contraire au sien, et qu'elles se désenflent, lorsqu'il s'enfle. Au reste, afin que ceux qui ne connaissent pas la force des démonstrations mathématiques, et ne sont pas accoutumés à distinguer les vraies raisons des vraisemblables, ne se hasardent pas de nier ceci sans l'examiner, je les veux avertir que ce mouvement, que je viens d'expliquer, suit aussi nécessairement de la seule disposition des organes qu'on peut voir à l'œil dans le cœur, et de la chaleur qu'on y peut sentir avec les doigts, et de la nature du sang qu'on peut connaître par expérience, que fait celui d'un horologe [2], de la force, de la situation et de la figure de ses contrepoids et de ses roues.

Mais, si on demande comment le sang des veines ne s'épuise point, en coulant ainsi continuellement dans le cœur, et comment les artères n'en sont point trop remplies, puisque tout celui qui passe par le cœur s'y va rendre, je n'ai pas besoin d'y répondre autre chose que

1. C'est ainsi que Descartes fait correspondre de manière erronée le pouls à la diastole, et ne considère la systole que comme la phase passive du mouvement du cœur, en l'interprétant comme la retombée sur elles-mêmes des parois du cœur vidées du sang.

2. Une horloge (du latin *horologium*).

ce qui a déjà été écrit par un médecin d'Angleterre [1], auquel il faut donner la louange d'avoir rompu la glace en cet endroit, et d'être le premier qui a enseigné qu'il y a plusieurs petits passages aux extrémités des artères, par où le sang qu'elles reçoivent du cœur entre dans les petites branches des veines, d'où il se va rendre derechef vers le cœur, en sorte que son cours n'est autre chose qu'une circulation perpétuelle. Ce qu'il prouve fort bien, par l'expérience ordinaire des chirurgiens, qui ayant lié le bras médiocrement fort, au-dessus de l'endroit où ils ouvrent la veine, font que le sang en sort plus abondamment que s'ils ne l'avaient point lié. Et il arriverait tout le contraire, s'ils le liaient au-dessous, entre la main et l'ouverture, ou bien qu'ils le liassent très fort au-dessus. Car il est manifeste que le lien médiocrement serré, pouvant empêcher que le sang qui est déjà dans le bras ne retourne vers le cœur par les veines, n'empêche pas pour cela qu'il n'y en vienne toujours de nouveau par les artères, à cause qu'elles sont situées au-dessous des veines, et que leurs peaux, étant plus dures, sont moins aisées à presser, et aussi que le sang qui vient du cœur tend avec plus de force à passer par elles vers la main qu'il ne fait à retourner de là vers le cœur par les veines. Et, puisque ce sang sort du bras par l'ouverture qui est en l'une des veines, il doit nécessairement y avoir quelques passages au-dessous du lien, c'est-à-dire vers les extrémités du bras, par où il puisse venir des artères. Il prouve aussi fort bien ce qu'il dit du cours du sang, par certaines petites peaux, qui sont tellement disposées en divers lieux le long des veines, qu'elles ne lui permettent point d'y passer du milieu du corps vers les extrémités, mais seulement de retourner des extrémités vers le cœur, et, de plus, par l'expérience qui montre que tout celui qui est dans le corps en peut sortir en fort peu de temps

1. W. Harvey, qui a forgé l'hypothèse de la circulation du sang dans son *Exercitatio anatomica de motu cordis et sanguinis animalibus*, Francfort, 1628, que Descartes cite ainsi en marge du présent texte : Hervaeus, *De motu cordis*.

par une seule artère, lorsqu'elle est coupée, encore même qu'elle fût étroitement liée fort proche du cœur, et coupée entre lui et le lien, en sorte qu'on n'eût aucun sujet d'imaginer que le sang qui en sortirait vint d'ailleurs.

Mais il y a plusieurs autres choses qui témoignent que la vraie cause de ce mouvement du sang est celle que j'ai dite[1]. Comme, premièrement, la différence qu'on remarque entre celui qui sort des veines et celui qui sort des artères, ne peut procéder que de ce qu'étant raréfié, et comme distillé, en passant par le cœur, il est plus subtil et plus vif et plus chaud incontinent après en être sorti, c'est-à-dire, étant dans les artères, qu'il n'est un peu devant que d'y entrer, c'est-à-dire, étant dans les veines[2]. Et, si on prend garde, on trouvera que cette différence ne paraît bien que vers le cœur, et non point tant aux lieux qui en sont les plus éloignés. Puis la dureté des peaux, dont la veine artérieuse et la grande artère sont composées, montre assez que le sang bat contre elles avec plus de force que contre les veines. Et pourquoi la concavité gauche du cœur et la grande artère seraient-elles plus amples et plus larges que la concavité droite et la veine artérieuse ? Si ce n'était que le sang de l'artère veineuse, n'ayant été que dans les poumons, depuis qu'il a passé par le cœur, est plus subtil et se raréfie plus fort et plus aisément que celui qui vient immédiatement de

1. Bien qu'il s'accorde avec Harvey sur la circulation du sang, Descartes refuse son explication du mouvement du cœur, en particulier parce qu'elle affirme que le mouvement est produit par la contraction du cœur, et que c'est ainsi la systole qui cause le pouls : « en supposant que le cœur se meut en la façon qu'Hervaeus le décrit [...] il faut imaginer quelque faculté qui cause ce mouvement, la nature de laquelle est beaucoup plus difficile à concevoir que tout ce qu'il prétend expliquer par elle », *La Description du corps humain*, AT XI, p. 243. Sur ces questions, cf. É. Gilson, « Descartes, Harvey et la scolastique », in *Études sur le rôle de la pensée médiévale dans la formation du système cartésien*, p. 51-101 et Dossier V, 1-2.

2. C'est Lavoisier qui, en 1777, donnera l'explication de ce phénomène : c'est la respiration, et non la chaleur du cœur qui en est la cause.

la veine cave. Et qu'est-ce que les médecins peuvent deviner, en tâtant le pouls, s'ils ne savent que, selon que le sang change de nature, il peut être raréfié par la chaleur du cœur plus ou moins fort, et plus ou moins vite qu'auparavant ? Et si on examine comment cette chaleur se communique aux autres membres, ne faut-il pas avouer que c'est par le moyen du sang qui, passant par le cœur, s'y réchauffe, et se répand de là par tout le corps. D'où vient que, si on ôte le sang de quelque partie, on en ôte par même moyen la chaleur ; et encore que le cœur fût aussi ardent qu'un fer embrasé, il ne suffirait pas pour réchauffer les pieds et les mains tant qu'il fait, s'il n'y envoyait continuellement de nouveau sang. Puis aussi on connaît de là, que le vrai usage de la respiration est d'apporter assez d'air frais dans le poumon, pour faire que le sang, qui y vient de la concavité droite du cœur, où il a été raréfié et comme changé en vapeurs, s'y épaississe et convertisse en sang derechef, avant que de retomber dans la gauche, sans quoi il ne pourrait être propre à servir de nourriture au feu qui y est. Ce qui se confirme, parce qu'on voit que les animaux qui n'ont point de poumons n'ont aussi qu'une seule concavité dans le cœur, et que les enfants, qui n'en peuvent user pendant qu'ils sont renfermés au ventre de leurs mères, ont une ouverture par où il coule du sang de la veine cave en la concavité gauche du cœur, et un conduit par où il en vient de la veine artérieuse en la grande artère, sans passer par le poumon. Puis la coction[1], comment se ferait-elle en l'estomac, si le cœur n'y envoyait de la chaleur par les artères, et avec cela quelques-unes des plus coulantes parties du sang, qui aident à dissoudre les viandes[2] qu'on y a mises ? Et l'action qui convertit le suc de ces viandes en sang n'est-elle pas aisée à connaître, si on considère qu'il se distille, en passant et repassant par le cœur, peut-être par plus de cent ou deux cents fois en chaque jour ? Et qu'a-t-on besoin d'autre chose, pour

1. La digestion.
2. C'est-à-dire les aliments.

expliquer la nutrition, et la production des diverses humeurs[1] qui sont dans le corps, sinon de dire que la force, dont le sang en se raréfiant passe du cœur vers les extrémités des artères, fait que quelques-unes de ses parties s'arrêtent entre celles des membres où elles se trouvent et y prennent la place de quelques autres qu'elles en chassent ; et que, selon la situation, ou la figure, ou la petitesse des pores qu'elles rencontrent, les unes vont se rendre en certains lieux plutôt que les autres, en même façon que chacun peut avoir vu divers cribles, qui, étant diversement percés, servent à séparer divers grains les uns des autres ? Et enfin ce qu'il y a de plus remarquable en tout ceci, c'est la génération des esprits animaux[2], qui sont comme un vent très subtil, ou plutôt comme une flamme très pure et très vive qui, montant continuellement en grande abondance du cœur dans le cerveau, se va rendre de là par les nerfs dans les muscles, et donne le mouvement à tous les membres ; sans qu'il faille imaginer d'autre cause, qui fasse que les parties du sang qui, étant les plus agitées et les plus pénétrantes, sont les plus propres à composer ces esprits, se vont rendre plutôt vers le cerveau que vers ailleurs ; sinon que les artères, qui les y portent, sont celles qui viennent du cœur le plus en ligne droite de toutes, et que, selon les règles des mécaniques, qui sont les mêmes que celles de la nature, lorsque plusieurs choses tendent ensemble à se mouvoir vers un même côté, où il n'y a pas assez de place pour toutes, ainsi que les parties du sang qui sortent de la concavité gauche du cœur tendent vers le cerveau, les plus faibles et moins agitées en doivent être détournées par les plus fortes, qui par ce moyen s'y vont rendre seules.

1. Comme la salive, l'urine, la sueur.

2. Les esprits animaux sont les particules – strictement matérielles – les plus subtiles et les plus agitées du sang, produites par la dilatation du sang sous l'effet de la chaleur du cœur. Elles passent du cœur au cerveau par les carotides. Les esprits animaux circulent aussi dans les nerfs jusqu'aux muscles, dont ils causent les mouvements, en les gonflant par accumulation et en les contraignant ainsi à se contracter. Cf. Dossier V, 3.

J'avais expliqué assez particulièrement toutes ces choses dans le traité que j'avais ci-devant dessein de publier. Et ensuite j'y avais montré quelle doit être la fabrique[1] des nerfs et des muscles du corps humain, pour faire que les esprits animaux, étant dedans, aient la force de mouvoir ses membres : ainsi qu'on voit que les têtes, un peu après être coupées, se remuent encore, et mordent la terre, nonobstant qu'elles ne soient plus animées ; quels changements se doivent faire dans le cerveau, pour causer la veille, et le sommeil, et les songes ; comment la lumière, les sons les odeurs, les goûts, la chaleur, et toutes les autres qualités des objets extérieurs y peuvent imprimer diverses idées par l'entremise des sens ; comment la faim, la soif, et les autres passions intérieures, y peuvent aussi envoyer les leurs ; ce qui doit y être pris pour le sens commun[2], où ces idées sont reçues ; pour la mémoire, qui les conserve ; et pour la fantaisie[3], qui les peut diversement changer et en composer de nouvelles, et par même moyen, distribuant les esprits animaux dans les muscles, faire mouvoir les membres de ce corps en autant de diverses façons, et autant à propos des objets qui se présentent à ses sens, et des passions intérieures qui sont en lui, que les nôtres se puissent mouvoir, sans que la volonté les conduise. Ce qui ne semblera nullement étrange à ceux qui, sachant combien de divers *automates*, ou machines mouvantes, l'industrie des hommes peut faire, sans y employer que fort peu de pièces, à comparaison de la grande multitude des os, des muscles, des nerfs, des artères, des veines, et de toutes les autres parties qui sont dans le corps de chaque animal considéreront ce corps comme une machine, qui, ayant été faite des mains de Dieu, est incomparablement mieux ordonnée, et a en soi des

1. La structure.
2. C'est le sens qui réunit les impressions des autres sens, son siège est, selon *L'Homme*, une petite glande située au milieu du cerveau, l'épiphyse, appelée aussi glande pinéale.
3. L'imagination.

mouvements plus admirables, qu'aucune de celles qui peuvent être inventées par les hommes.

Et je m'étais ici particulièrement arrêté à faire voir que, s'il y avait de telles machines, qui eussent des organes et la figure d'un singe, ou de quelque autre animal sans raison, nous n'aurions aucun moyen pour reconnaître qu'elles ne seraient pas en tout de même nature que ces animaux ; au lieu que s'il y en avait qui eussent la ressemblance de nos corps et imitassent autant nos actions que moralement il serait possible, nous aurions toujours deux moyens très certains pour reconnaître qu'elles ne seraient point pour cela de vrais hommes. Dont le premier est que jamais elles ne pourraient user de paroles, ni d'autres signes en les composant, comme nous faisons pour déclarer aux autres nos pensées. Car, on peut bien concevoir qu'une machine soit tellement faite qu'elle profère des paroles, et même qu'elle en profère quelques-unes à propos des actions corporelles qui causeront quelque changement en ses organes : comme, si on la touche en quelque endroit, qu'elle demande ce qu'on lui veut dire ; si en un autre, qu'elle crie qu'on lui fait mal, et choses semblables ; mais non pas qu'elle les arrange diversement, pour répondre au sens de tout ce qui se dira en sa présence, ainsi que les hommes les plus hébétés peuvent faire. Et le second est que, bien qu'elles fissent plusieurs choses aussi bien, ou peut-être mieux qu'aucun de nous, elles manqueraient infailliblement en quelques autres, par lesquelles on découvrirait qu'elles n'agiraient pas par connaissance, mais seulement par la disposition de leurs organes. Car, au lieu que la raison est un instrument universel, qui peut servir en toutes sortes de rencontres, ces organes ont besoin de quelque particulière disposition pour chaque action particulière ; d'où vient qu'il est moralement impossible [1] qu'il y en ait assez de divers en une machine, pour la faire agir en toutes les occurrences de la vie, de même façon que notre raison nous fait agir.

1. Cela n'est pas vraisemblable, bien que ce ne soit pas métaphysiquement impossible, autrement dit, impossible à Dieu.

Or, par ces deux mêmes moyens, on peut aussi connaître la différence qui est entre les hommes et les bêtes. Car c'est une chose bien remarquable, qu'il n'y a point d'hommes si hébétés et si stupides, sans en excepter même les insensés, qu'ils ne soient capables d'arranger ensemble diverses paroles, et d'en composer un discours par lequel ils fassent entendre leurs pensées ; et qu'au contraire, il n'y a point d'autre animal, tant parfait et tant heureusement né qu'il puisse être, qui fasse le semblable. Ce qui n'arrive pas de ce qu'ils ont faute d'organes, car on voit que les pies et les perroquets peuvent proférer des paroles ainsi que nous, et toutefois ne peuvent parler ainsi que nous, c'est-à-dire, en témoignant qu'ils pensent ce qu'ils disent ; au lieu que les hommes qui, étant nés sourds et muets, sont privés des organes qui servent aux autres pour parler, autant ou plus que les bêtes, ont coutume d'inventer d'eux-mêmes quelques signes, par lesquels ils se font entendre à ceux qui, étant ordinairement avec eux, ont loisir d'apprendre leur langue. Et ceci ne témoigne pas seulement que les bêtes ont moins de raison que les hommes, mais qu'elles n'en ont point du tout. Car on voit qu'il n'en faut que fort peu pour savoir parler ; et d'autant qu'on remarque de l'inégalité entre les animaux d'une même espèce, aussi bien qu'entre les hommes, et que les uns sont plus aisés à dresser que les autres, il n'est pas croyable qu'un singe ou un perroquet, qui serait des plus parfaits de son espèce, n'égalât en cela un enfant des plus stupides, ou du moins un enfant qui aurait le cerveau troublé, si leur âme n'était d'une nature du tout différente de la nôtre [1]. Et on ne doit pas confondre les paroles avec les mouvements naturels, qui témoignent les passions et

1. Tout ce passage s'oppose à la thèse que Montaigne développe dans l'*Apologie de Raymond Sebond*, *Essais*, II, chap. 12, selon laquelle les bêtes ont seulement moins de raison que les hommes, de sorte qu'on peut dire qu'il y a moins de différence entre les animaux les plus intelligents et les hommes les plus stupides qu'entre les hommes les plus stupides et les hommes les plus intelligents. Cf. aussi Charron, *De la sagesse*, I, VIII, 34. Cf. Dossier V, 1.

peuvent être imités par des machines aussi bien que par les animaux ; ni penser, comme quelques anciens, que les bêtes parlent, bien que nous n'entendions pas leur langage : car s'il était vrai, puisqu'elles ont plusieurs organes qui se rapportent aux nôtres, elles pourraient aussi bien se faire entendre à nous qu'à leurs semblables. C'est aussi une chose fort remarquable que, bien qu'il y ait plusieurs animaux qui témoignent plus d'industrie que nous en quelques-unes de leurs actions, on voit toutefois que les mêmes n'en témoignent point du tout en beaucoup d'autres : de façon que ce qu'ils font de mieux que nous ne prouve pas qu'ils ont de l'esprit ; car, à ce compte, ils en auraient plus qu'aucun de nous et feraient mieux en toute chose ; mais plutôt qu'ils n'en ont point, et que c'est la nature qui agit en eux, selon la disposition de leurs organes : ainsi qu'on voit qu'un horologe, qui n'est composé que de roues et de ressorts, peut compter les heures, et mesurer le temps, plus justement que nous avec toute notre prudence.

J'avais décrit, après cela, l'âme raisonnable, et fait voir qu'elle ne peut aucunement être tirée de la puissance de la matière, ainsi que les autres choses dont j'avais parlé, mais qu'elle doit expressément être créée ; et comment il ne suffit pas qu'elle soit logée dans le corps humain, ainsi qu'un pilote en son navire [1], sinon peut-être pour mouvoir ses membres, mais qu'il est besoin qu'elle soit jointe et unie plus étroitement avec lui pour avoir, outre cela, des sentiments et des appétits semblables aux nôtres, et ainsi composer un vrai homme. Au reste, je me suis ici un peu étendu sur le

1. C'était la manière dont on décrivait traditionnellement la conception platonicienne de l'union de l'âme et du corps. À cette conception instrumentaliste de l'union de l'âme et du corps, la tradition aristotélicienne opposait une union fondée sur une âme conçue comme forme substantielle du corps et dans laquelle aucun des composants ne peut être tenu à lui seul pour une réalité complète. Bien qu'il s'attaque à la confusion de la notion de forme substantielle, Descartes reprend ce modèle pour penser le rapport de l'âme au corps, en précisant toutefois que l'âme et le corps sont en eux-mêmes des substances complètes. Cf. Dossier VI, 2.

sujet de l'âme, à cause qu'il est des plus importants ; car après l'erreur de ceux qui nient Dieu, laquelle je pense avoir ci-dessus réfutée, il n'y en a point qui éloigne plutôt les esprits faibles du droit chemin de la vertu, que d'imaginer que l'âme des bêtes soit de même nature que la nôtre, et que, par conséquent, nous n'avons rien à craindre, ni à espérer, après cette vie, non plus que les mouches et les fourmis ; au lieu que, lorsqu'on sait combien elles diffèrent, on comprend beaucoup mieux les raisons qui prouvent que la nôtre est d'une nature entièrement indépendante du corps et, par conséquent, qu'elle n'est point sujette à mourir avec lui ; puis, d'autant qu'on ne voit point d'autres causes qui la détruisent, on est naturellement porté à juger de là qu'elle est immortelle [1].

1. La philosophie ne peut pas démontrer l'immortalité de l'âme. Elle peut seulement montrer que l'âme est d'une nature distincte du corps et qu'ainsi elle peut être immortelle, à condition que Dieu ne décide pas de l'annihiler.

SIXIÈME PARTIE

Or, il y a maintenant trois ans [1] que j'étais parvenu à la fin du traité qui contient toutes ces choses, et que je commençais à le revoir, afin de le mettre entre les mains d'un imprimeur, lorsque j'appris que des personnes, à qui je défère et dont l'autorité ne peut guère moins sur mes actions que ma propre raison sur mes pensées, avaient désapprouvé une opinion de physique, publiée un peu auparavant par quelque autre [2], de laquelle je ne veux pas dire que je fusse [3], mais bien que je n'y avais rien remarqué, avant leur censure, que je pusse imaginer être préjudiciable ni à la religion, ni à l'État, ni, par conséquent, qui m'eût empêché de l'écrire, si la raison me l'eût persuadée, et que cela me fit craindre qu'il ne s'en trouvât tout de même quelqu'une entre les miennes, en laquelle je me fusse mépris, nonobstant le grand soin que j'ai toujours eu de n'en point recevoir de nouvelles en ma créance, dont je n'eusse des démonstrations très certaines, et de n'en point écrire qui pussent tourner au désavantage de personne. Ce qui a été suffisant pour m'obliger à changer la résolution que j'avais eue de les publier.

1. C'est-à-dire vers le mois de juillet 1633.

2. Il s'agit de Galilée et de l'affirmation du mouvement de la terre. Cf. Présentation.

3. Descartes soutient pourtant cette thèse dans *Le Monde* (AT XI, 69, p. 18-25). Dans les *Principes*, II, 16-19, il parviendra à expliquer la translation de la terre tout en niant son mouvement.

Car, encore que les raisons, pour lesquelles je l'avais prise auparavant, fussent très fortes, mon inclination, qui m'a toujours fait haïr le métier de faire des livres, m'en fit incontinent trouver assez d'autres pour m'en excuser. Et ces raisons de part et d'autre sont telles, que non seulement j'ai ici quelque intérêt de les dire, mais peut-être aussi que le public en a de les savoir.

Je n'ai jamais fait beaucoup d'état des choses qui venaient de mon esprit, et pendant que je n'ai recueilli d'autres fruits de la méthode dont je me sers, sinon que je me suis satisfait, touchant quelques difficultés qui appartiennent aux sciences spéculatives, ou bien que j'ai tâché de régler mes mœurs par les raisons qu'elle m'enseignait, je n'ai point cru être obligé d'en rien écrire. Car, pour ce qui touche les mœurs, chacun abonde si fort en son sens, qu'il se pourrait trouver autant de réformateurs que de têtes, s'il était permis à d'autres qu'à ceux que Dieu a établis pour souverains sur ses peuples, ou bien auxquels il a donné assez de grâce et de zèle pour être prophètes, d'entreprendre d'y rien changer ; et bien que mes spéculations me plussent fort, j'ai cru que les autres en avaient aussi qui leur plaisaient peut-être davantage. Mais, sitôt que j'ai eu acquis quelques notions générales touchant la physique, et que, commençant à les éprouver en diverses difficultés particulières, j'ai remarqué jusques où elles peuvent conduire, et combien elles diffèrent des principes dont on s'est servi jusques à présent, j'ai cru que je ne pouvais les tenir cachées, sans pécher grandement contre la loi qui nous oblige à procurer, autant qu'il est en nous, le bien général de tous les hommes. Car elles m'ont fait voir qu'il est possible de parvenir à des connaissances qui soient fort utiles à la vie, et qu'au lieu de cette philosophie spéculative, qu'on enseigne dans les écoles, on en peut trouver une pratique, par laquelle connaissant la force et les actions du feu, de l'eau, de l'air, des astres, des cieux et de tous les autres corps qui nous environnent, aussi distinctement que nous connaissons les divers métiers de nos artisans, nous les pourrions employer en même façon à tous les usages auxquels ils sont propres, et ainsi nous rendre comme maîtres et possesseurs de la nature. Ce qui n'est pas seulement à désirer pour l'invention d'une infinité d'artifices, qui feraient qu'on jouirait, sans aucune peine, des fruits de la terre et de toutes les commodités qui s'y trouvent, mais principalement aussi pour la conservation de la santé, laquelle est sans doute le premier bien et le fondement de tous les autres biens de cette vie ; car même l'esprit dépend si fort du tempérament, et de la disposition des organes du corps que, s'il est possible de trouver quelque moyen qui rende communément les hommes plus sages et plus habiles qu'ils n'ont été jusques ici, je crois que c'est dans la médecine qu'on doit le chercher. Il est vrai que celle qui est maintenant en usage, contient peu de choses dont l'utilité soit si remarquable ; mais sans que j'aie aucun dessein de la mépriser, je m'assure qu'il n'y a personne, même de ceux qui en font profession, qui n'avoue que tout ce qu'on y sait n'est presque rien, à comparaison de ce qui reste à y savoir, et qu'on se pourrait exempter d'une infinité de maladies, tant du corps que de l'esprit, et même aussi peut-être de l'affaiblissement de la vieillesse, si on avait assez de connaissance de leurs causes, et de tous les remèdes dont la nature nous a pourvus [1]. Or, ayant dessein d'employer toute ma vie à la recherche d'une science si nécessaire, et ayant rencontré un chemin qui me semble tel qu'on doit infailliblement la trouver, en le suivant, si ce n'est qu'on en soit empêché, ou par la brièveté de la vie, ou par le défaut des expériences, je jugeais qu'il n'y avait point de meilleur remède contre

1. Descartes reviendra sur ces espérances à la fin de sa vie. Cf. la lettre à Chanut du 15 juin 1646, AT IV, p. 441-442 : « Je vous dirai en confidence que la notion telle quelle de la physique que j'ai tâché d'acquérir, m'a grandement servi pour établir des fondements certains en la morale ; et que je me suis plus aisément satisfait en ce point qu'en plusieurs autres touchant la médecine, auxquels j'ai néanmoins employé beaucoup plus de temps. De façon qu'au lieu de trouver les moyens de conserver la vie, j'en ai trouvé un autre bien plus aisé et plus sûr, qui est de ne pas craindre la mort. »

ces deux empêchements, que de communiquer fidèlement au public tout le peu que j'aurais trouvé, et de convier les bons esprits à tâcher de passer plus outre, en contribuant, chacun selon son inclination et son pouvoir, aux expériences qu'il faudrait faire, et communiquant aussi au public toutes les choses qu'ils apprendraient, afin que les derniers commençant où les précédents auraient achevé, et ainsi, joignant les vies et les travaux de plusieurs, nous allassions tous ensemble beaucoup plus loin que chacun en particulier ne saurait faire.

Même je remarquais, touchant les expériences, qu'elles sont d'autant plus nécessaires qu'on est plus avancé en connaissance. Car, pour le commencement, il vaut mieux ne se servir que de celles qui se présentent d'elles-mêmes à nos sens, et que nous ne saurions ignorer, pourvu que nous y fassions tant soit peu de réflexion, que d'en chercher de plus rares et étudiées : dont la raison est que ces plus rares trompent souvent, lorsqu'on ne sait pas encore les causes des plus communes, et que les circonstances dont elles dépendent sont quasi toujours si particulières et si petites, qu'il est très malaisé de les remarquer. Mais l'ordre que j'ai tenu en ceci a été tel. Premièrement, j'ai tâché de trouver en général les principes, ou premières causes, de tout ce qui est, ou qui peut être, dans le monde, sans rien considérer, pour cet effet, que Dieu seul, qui l'a créé, ni les tirer d'ailleurs que de certaines semences de vérités qui sont naturellement en nos âmes[1]. Après cela, j'ai examiné quels étaient les premiers et plus ordinaires effets qu'on pouvait déduire de ces causes : et il me semble que, par là, j'ai trouvé des cieux, des astres, une terre, et même, sur la terre, de l'eau, de l'air, du feu, des minéraux, et quelques autres telles choses qui sont les plus communes de toutes et les plus simples, et par conséquent les plus aisées à connaître. Puis, lorsque j'ai voulu descendre à celles qui étaient plus particulières, il s'en

1. Comme sont les natures simples d'étendue et de mouvement. Cf. Règle IV, p. 1 et Règle XII, p. 46.

est tant présenté à moi de diverses, que je n'ai pas cru qu'il fût possible à l'esprit humain de distinguer les formes ou espèces de corps qui sont sur la terre d'une infinité d'autres qui pourraient y être, si ç'eût été le vouloir de Dieu de les y mettre, ni, par conséquent, de les rapporter à notre usage, si ce n'est qu'on vienne au-devant des causes par les effets, et qu'on se serve de plusieurs expériences particulières. En suite de quoi, repassant mon esprit sur tous les objets qui s'étaient jamais présentés à mes sens, j'ose bien dire que je n'y ai remarqué aucune chose que je ne pusse assez commodément expliquer par les principes que j'avais trouvés. Mais il faut aussi que j'avoue que la puissance de la nature est si ample et si vaste, et que ces principes sont si simples et si généraux, que je ne remarque quasi plus aucun effet particulier, que d'abord je ne connaisse qu'il peut en être déduit en plusieurs diverses façons, et que ma plus grande difficulté est d'ordinaire de trouver en laquelle de ces façons il en dépend. Car à cela je ne sais point d'autre expédient, que de chercher derechef quelques expériences qui soient telles, que leur événement ne soit pas le même, si c'est en l'une de ces façons qu'on doit l'expliquer, que si c'est en l'autre [1]. Au reste, j'en suis maintenant là, que je vois, ce me semble, assez bien de quel biais on se doit prendre à faire la plupart de celles qui peuvent servir à cet effet ; mais je vois aussi qu'elles sont telles, et en si grand nombre, que ni mes mains, ni mon revenu, bien que j'en eusse mille fois plus que je n'en ai, ne sauraient suffire pour toutes ; en sorte que, selon que j'aurai désormais la commodité d'en faire plus ou moins, j'avancerai aussi plus ou moins en la connaissance de la nature. Ce que je me promettais de faire connaître, par le traité que j'avais écrit, et d'y montrer si clairement l'utilité que le public en peut recevoir, que j'obligerais tous ceux qui désirent en général le bien des hommes, c'est-à-dire tous ceux qui sont en effet vertueux, et non point par faux-semblant, ni seulement par

1. Ce procédé s'inspire de la notion baconienne d'expérience cruciale.

opinion, tant à me communiquer celles qu'ils ont déjà faites, qu'à m'aider en la recherche de celles qui restent à faire.

Mais j'ai eu, depuis, ce temps-là, d'autres raisons qui m'ont fait changer d'opinion, et penser que je devais véritablement continuer d'écrire toutes les choses que je jugerais de quelque importance, à mesure que j'en découvrirais la vérité, et y apporter le même soin que si je les voulais faire imprimer : tant afin d'avoir d'autant plus d'occasion de les bien examiner, comme sans doute on regarde toujours de plus près à ce qu'on croit devoir être vu par plusieurs, qu'à ce qu'on ne fait que pour soi-même, et souvent les choses qui m'ont semblé vraies lorsque j'ai commencé à les concevoir, m'ont paru fausses lorsque je les ai voulu mettre sur le papier ; qu'afin de ne perdre aucune occasion de profiter au public, si j'en suis capable, et que, si mes écrits valent quelque chose, ceux qui les auront après ma mort en puissent user ainsi qu'il sera le plus à propos ; mais que je ne devais aucunement consentir qu'ils fussent publiés pendant ma vie, afin que ni les oppositions et controverses, auxquelles ils seraient peut-être sujets, ni même la réputation telle quelle, qu'ils me pourraient acquérir, ne me donnassent aucune occasion de perdre le temps que j'ai dessein d'employer à m'instruire. Car, bien qu'il soit vrai que chaque homme est obligé de procurer, autant qu'il est en lui, le bien des autres, et que c'est proprement ne valoir rien que de n'être utile à personne, toutefois il est vrai aussi que nos soins[1] se doivent étendre plus loin que le temps présent, et qu'il est bon d'omettre les choses qui apporteraient peut-être quelque profit à ceux qui vivent, lorsque c'est à dessein d'en faire d'autres qui en apportent davantage à nos neveux. Comme, en effet, je veux bien qu'on sache que le peu que j'ai appris jusqu'ici n'est presque rien, à comparaison de ce que j'ignore, et que je ne désespère pas de pouvoir apprendre ; car c'est quasi le même de ceux qui découvrent peu à peu la vérité dans les sciences, que de

1. Nos préoccupations.

ceux qui, commençant à devenir riches, ont moins de peine à faire de grandes acquisitions, qu'ils n'ont eu auparavant, étant plus pauvres, à en faire de beaucoup moindres. Ou bien on peut les comparer aux chefs d'armée, dont les forces ont coutume de croître à proportion de leurs victoires, et qui ont besoin de plus de conduite[1], pour se maintenir après la perte d'une bataille, qu'ils n'ont, après l'avoir gagnée, à prendre des villes et des provinces. Car c'est véritablement donner des batailles, que de tâcher à vaincre toutes les difficultés et les erreurs qui nous empêchent de parvenir à la connaissance de la vérité, et c'est en perdre une, que de recevoir quelque fausse opinion touchant une matière un peu générale et importante ; il faut, après, beaucoup plus d'adresse, pour se remettre au même état qu'on était auparavant, qu'il ne faut à faire de grands progrès, lorsqu'on a déjà des principes qui sont assurés. Pour moi, si j'ai ci-devant trouvé quelques vérités dans les sciences (et j'espère que les choses qui sont contenues en ce volume[2] feront juger que j'en ai trouvées quelques-unes), je puis dire que ce ne sont que des suites et des dépendances de cinq ou six principales difficultés que j'ai surmontées, et que je compte pour autant de batailles où j'ai eu l'heur de mon côté. Même je ne craindrai pas de dire, que je pense n'avoir plus besoin d'en gagner que deux ou trois semblables pour venir entièrement à bout de mes desseins ; et que mon âge n'est point si avancé[3] que, selon le cours ordinaire de la nature, je ne puisse encore avoir assez de loisir pour cet effet. Mais je crois être d'autant plus obligé à ménager le temps qui me reste, que j'ai plus d'espérance de le pouvoir bien employer ; et j'aurais sans doute plusieurs occasions de le perdre, si je publiais les fondements de ma physique. Car, encore qu'ils soient presque tous si évidents, qu'il ne faut que les entendre pour les croire, et qu'il n'y en ait

1. D'habileté.
2. C'est-à-dire dans les *Essais* qui accompagnaient le *Discours* lors de sa parution.
3. En 1637, Descartes a quarante et un ans.

aucun, dont je ne pense pouvoir donner des démonstrations, toutefois, à cause qu'il est impossible qu'ils soient accordants avec toutes les diverses opinions des autres hommes, je prévois que je serais souvent diverti par les oppositions qu'ils feraient naître.

On peut dire que ces oppositions seraient utiles, tant afin de me faire connaître mes fautes qu'afin que, si j'avais quelque chose de bon, les autres en eussent par ce moyen plus d'intelligence, et, comme plusieurs peuvent plus voir qu'un homme seul, que commençant dès maintenant à s'en servir, ils m'aidassent aussi de leurs inventions. Mais, encore que je me reconnaisse extrêmement sujet à faillir, et que je ne me fie quasi jamais aux premières pensées qui me viennent, toutefois l'expérience que j'ai des objections qu'on me peut faire, m'empêche d'en espérer aucun profit : car j'ai déjà souvent éprouvé les jugements, tant de ceux que j'ai tenus pour mes amis, que de quelques autres à qui je pensais être indifférent, et même aussi de quelques-uns dont je savais que la malignité et l'envie tâcheraient assez de découvrir ce que l'affection cacherait à mes amis ; mais il est rarement arrivé qu'on m'ait objecté quelque chose que je n'eusse point du tout prévue, si ce n'est qu'elle fût fort éloignée de mon sujet ; en sorte que je n'ai quasi jamais rencontré aucun censeur de mes opinions, qui ne me semblât ou moins rigoureux, ou moins équitable que moi-même. Et je n'ai jamais remarqué non plus que, par le moyen des disputes qui se pratiquent dans les écoles [1], on ait découvert aucune

1. Allusion à la méthode scolastique de la *disputatio*, qui provient des exercices en usage dans l'université médiévale, et qui fut considérée par les jésuites comme une méthode pour éprouver les opinions. Elle se fonde sur la mise en présence de thèses opposées sur une même question, ce qui, pour Descartes, signifie qu'elle n'est possible que si les opinions en présence ne sont que vraisemblables : « Toutes les fois qu'ils sont deux à porter sur une même chose des jugements contraires, il est certain que l'un des deux au moins se trompe, et il ne semble même pas qu'un seul des deux en possède la science : car si ses raisons étaient certaines et évidentes, il pourrait les proposer à son adversaire, de manière à convaincre à la fin aussi son entendement », Règle II, p. 4.

vérité qu'on ignorât auparavant ; car pendant que chacun tâche de vaincre, on s'exerce bien plus à faire valoir la vraisemblance, qu'à peser les raisons de part et d'autre ; et ceux qui ont été longtemps bons avocats ne sont pas pour cela, par après, meilleurs juges.

Pour l'utilité que les autres recevraient de la communication de mes pensées, elle ne pourrait aussi être fort grande, d'autant que je ne les ai point encore conduites si loin, qu'il ne soit besoin d'y ajouter beaucoup de choses avant que de les appliquer à l'usage. Et je pense pouvoir dire, sans vanité, que, s'il y a quelqu'un qui en soit capable, ce doit être plutôt moi qu'aucun autre : non pas qu'il ne puisse y avoir au monde plusieurs esprits incomparablement meilleurs que le mien ; mais pource qu'on ne saurait si bien concevoir une chose et la rendre sienne, lorsqu'on l'apprend de quelque autre, que lorsqu'on l'invente soi-même. Ce qui est si véritable, en cette matière, que, bien que j'aie souvent expliqué quelques-unes de mes opinions à des personnes de très bon esprit, et qui, pendant que je leur parlais, semblaient les entendre fort distinctement, toutefois, lorsqu'ils lcs ont redites, j'ai remarqué qu'ils les ont changées presque toujours en telle sorte que je ne les pouvais plus avouer pour miennes. À l'occasion de quoi je suis bien aise de prier ici nos neveux, de ne croire jamais que les choses qu'on leur dira viennent de moi, lorsque je ne les aurai point moi-même divulguées. Et je ne m'étonne aucunement des extravagances qu'on attribue à tous ces anciens philosophes, dont nous n'avons point les écrits, ni ne juge pas, pour cela, que leurs pensées aient été fort déraisonnables, vu qu'ils étaient des meilleurs esprits de leurs temps, mais seulement qu'on nous les a mal rapportées. Comme on voit aussi que presque jamais il n'est arrivé qu'aucun de leurs sectateurs les ait surpassés ; et je m'assure que les plus passionnés de ceux qui suivent maintenant Aristote, se croiraient heureux, s'ils avaient autant de connaissance de la nature qu'il en a eu, encore même que ce fût à condition qu'ils n'en auraient jamais davantage. Ils sont comme le lierre, qui ne tend point à monter plus haut que les arbres qui le soutiennent, et même souvent qui redescend, après qu'il est parvenu jusques à leur faîte ; car il me semble aussi que ceux-là redescendent, c'est-à-dire se rendent en quelque façon moins savants que s'ils s'abstenaient d'étudier, lesquels, non contents de savoir tout ce qui est intelligiblement expliqué dans leur auteur, veulent, outre cela, y trouver la solution de plusieurs difficultés, dont il ne dit rien et auxquelles il n'a peut-être jamais pensé. Toutefois, leur façon de philosopher est fort commode, pour ceux qui n'ont que des esprits fort médiocres ; car l'obscurité des distinctions et des principes dont ils se servent, est cause qu'ils peuvent parler de toutes choses aussi hardiment que s'ils les savaient, et soutenir tout ce qu'ils en disent contre les plus subtils et les plus habiles, sans qu'on ait moyen de les convaincre. En quoi ils me semblent pareils à un aveugle qui, pour se battre sans désavantage contre un qui voit, l'aurait fait venir dans le fond de quelque cave fort obscure ; et je puis dire que ceux-ci ont intérêt que je m'abstienne de publier les principes de la philosophie dont je me sers : car étant très simples et très évidents, comme ils sont, je ferais quasi le même, en les publiant, que si j'ouvrais quelques fenêtres, et faisais entrer du jour dans cette cave, où ils sont descendus pour se battre[1]. Mais même les meilleurs esprits n'ont pas occasion de souhaiter de les connaître : car, s'ils veulent savoir parler de toutes choses[2] et acquérir la réputation d'être doctes, ils y parviendront plus aisément en se contentant de la

1. Descartes interprétera ainsi l'opposition que rencontreront les *Méditations métaphysiques* dans son épître au père Dinet, AT VII, p. 575-576 : « Comme ils craignent que, si la vérité venait une fois à être découverte […], toute leur doctrine ne devînt méprisable, ils ont fait paraître une grande animosité contre moi. »

2. Cf. le jugement dépréciatif émis par Descartes, dans la première partie, sur la philosophie qu'on enseigne dans les écoles : « La philosophie donne moyen de parler vraisemblablement de toutes choses. »

vraisemblance[1], qui peut être trouvée sans grande peine en toutes sortes de matières, qu'en cherchant la vérité, qui ne se découvre que peu à peu en quelques-unes, et qui, lorsqu'il est question de parler des autres, oblige à confesser franchement qu'on les ignore. Que s'ils préfèrent la connaissance de quelque peu de vérités à la vanité de paraître n'ignorer rien, comme sans doute elle est bien préférable, et qu'ils veuillent suivre un dessein semblable au mien, ils n'ont pas besoin, pour cela, que je leur dise rien davantage que ce que j'ai déjà dit en ce discours. Car, s'ils sont capables de passer plus outre que je n'ai fait, ils le seront aussi, à plus forte raison, de trouver d'eux-mêmes tout ce que je pense avoir trouvé. D'autant que, n'ayant jamais rien examiné que par ordre, il est certain que ce qui me reste encore à découvrir, est de soi plus difficile et plus caché que j'ai pu ci-devant rencontrer, et ils auraient bien moins de plaisir à l'apprendre de moi que d'eux-mêmes ; outre l'habitude qu'ils acquerront, en cherchant premièrement des choses faciles, et passant peu à peu par degrés à d'autres plus difficiles, leur servira plus que toutes mes instructions ne sauraient faire[2]. Comme, pour moi, je me persuade que, si on m'eût enseigné, dès ma jeunesse, toutes les vérités dont j'ai cherché depuis les démonstrations, et que je n'eusse eu aucune peine à les apprendre, je n'en aurais peut-être jamais su aucunes autres, et du moins que jamais je n'aurais acquis l'habitude et la facilité que je pense avoir, d'en trouver toujours de nouvelles, à mesure que je m'applique à les chercher. Et en un mot, s'il y a au monde quelque ouvrage qui ne puisse être si bien achevé par aucun autre que par

1. Descartes a dénoncé dès la Règle I, p. 2, la pratique de la philosophie en vue de la vaine gloire, qui entretient la vraisemblance de la philosophie, parce qu'« il est bien visible que les raisonnements ornés et les illusions accommodées aux esprits du commun ouvrent un chemin beaucoup plus court que ne le pourrait la connaissance solide du vrai » pour atteindre la renommée.

2. Cf. Dossier I, 4.

le même qui l'a commencé, c'est celui auquel je travaille.

Il est vrai que, pour ce qui est des expériences qui peuvent y servir, un homme seul ne saurait suffire à les faire toutes ; mais il n'y saurait aussi employer utilement d'autres mains que les siennes, sinon celles des artisans, ou telles gens qu'il pourrait payer, et à qui l'espérance du gain, qui est un moyen très efficace, ferait faire exactement toutes les choses qu'il leur prescrirait. Car, pour les volontaires, qui, par curiosité ou désir d'apprendre, s'offriraient peut-être de lui aider, outre qu'ils ont pour l'ordinaire plus de promesses que d'effet, et qu'ils ne font que de belles propositions dont aucune jamais ne réussit, ils voudraient infailliblement être payés par l'explication de quelques difficultés, ou du moins par des compliments et des entretiens inutiles, qui ne lui sauraient coûter si peu de son temps qu'il n'y perdît. Et pour les expériences que les autres ont déjà faites, quand bien même ils les lui voudraient communiquer, ce que ceux qui les nomment des secrets ne feraient jamais, elles sont, pour la plupart, composées de tant de circonstances, ou d'ingrédients superflus, qu'il lui serait très malaisé d'en déchiffrer la vérité ; outre qu'il les trouverait presque toutes si mal expliquées, ou même si fausses, à cause que ceux qui les ont faites se sont efforcés de les faire paraître conformes à leurs principes, que, s'il y en avait quelques-unes qui lui servissent, elles ne pourraient derechef valoir le temps qu'il lui faudrait employer à les choisir. De façon que, s'il y avait au monde quelqu'un, qu'on sût assurément être capable de trouver les plus grandes choses et les plus utiles au public qui puissent être, et que, pour cette cause, les autres hommes s'efforçassent, par tous moyens, de l'aider à venir à bout de ses desseins, je ne vois pas qu'ils pussent autre chose pour lui, sinon fournir aux frais des expériences dont il aurait besoin et, du reste, empêcher que son loisir ne lui fût ôté par l'importunité de personne. Mais, outre que je ne présume pas tant de moi-même, que de vouloir rien promettre d'extraordinaire, je ne me repais point de pensées si vaines, que de m'imaginer que le public se doive beaucoup intéresser en mes desseins, je n'ai pas aussi l'âme si basse, que je voulusse accepter de qui que ce fût aucune faveur, qu'on pût croire que je n'aurais méritée.

Toutes ces considérations jointes ensemble furent cause, il y a trois ans [1], que je ne voulus point divulguer le traité que j'avais entre les mains, et même que je fus en résolution de n'en faire voir aucun autre, pendant ma vie, qui fût si général, ni duquel on pût entendre les fondements de ma physique. Mais il y a eu depuis derechef deux autres raisons, qui m'ont obligé à mettre ici quelques essais particuliers, et à rendre au public quelque compte de mes actions et de mes desseins. La première est que, si je manquais, plusieurs, qui ont su l'intention que j'avais eue ci-devant de faire imprimer quelques écrits, pourraient s'imaginer que les causes pour lesquelles je m'en abstiens seraient plus à mon désavantage qu'elles ne sont. Car, bien que je n'aime pas la gloire par excès, ou même, si je l'ose dire, que je la haïsse, en tant que je la juge contraire au repos, lequel j'estime sur toutes choses, toutefois aussi je n'ai jamais tâché de cacher mes actions comme des crimes, ni n'ai usé de beaucoup de précautions pour être inconnu ; tant à cause que j'eusse cru me faire tort, qu'à cause que cela m'aurait donné quelque espèce d'inquiétude, qui eût derechef été contraire au parfait repos d'esprit que je cherche. Et pource que, m'étant toujours ainsi tenu indifférent entre le soin d'être connu ou ne l'être pas, je n'ai pu empêcher que je n'acquisse quelque sorte de réputation, j'ai pensé que je devais faire mon mieux pour m'exempter au moins de l'avoir mauvaise. L'autre raison, qui m'a obligé à écrire ceci, est que, voyant tous les jours de plus en plus le retardement que souffre le dessein que j'ai de m'instruire, à cause d'une infinité d'expériences dont j'ai besoin, et qu'il est impossible que je fasse sans l'aide d'autrui, bien que je ne me flatte pas tant que d'espérer que le public prenne

1. En novembre 1634.

grande part en mes intérêts, toutefois, je ne veux pas aussi me défaillir tant à moi-même, que de donner sujet à ceux qui me survivront, de me reprocher quelque jour, que j'eusse pu leur laisser plusieurs choses beaucoup meilleures que je n'aurai fait, si je n'eusse point trop négligé de leur faire entendre en quoi ils pouvaient contribuer à mes desseins.

Et j'ai pensé qu'il m'était aisé de choisir quelques matières qui, sans être sujettes à beaucoup de controverses, ni m'obliger à déclarer davantage de mes principes que je ne désire, ne laisseraient pas de faire voir assez clairement ce que je puis, ou ne puis pas, dans les sciences. En quoi je ne saurais dire si j'ai réussi, et je ne veux point prévenir les jugements de personne, en parlant moi-même de mes écrits ; mais je serai bien aise qu'on les examine, et afin qu'on en ait d'autant plus d'occasion, je supplie tous ceux qui auront quelques objections à y faire, de prendre la peine de les envoyer à mon libraire, par lequel en étant averti, je tâcherai d'y joindre ma réponse en même temps ; et par ce moyen les lecteurs, voyant ensemble l'un et l'autre, jugeront d'autant plus aisément de la vérité. Car je ne promets pas d'y faire jamais de longues réponses, mais seulement d'avouer mes fautes fort franchement, si je les connais, ou bien, si je ne puis les apercevoir, de dire simplement ce que je croirai être requis pour la défense des choses que j'ai écrites, sans y ajouter l'explication d'aucune nouvelle matière, afin de ne me pas engager sans fin de l'une en l'autre.

Que si quelques-unes de celles dont j'ai parlé, au commencement de la Dioptrique et des Météores, choquent d'abord, à cause que je les nomme des suppositions, et que je ne semble pas avoir envie de les prouver, qu'on ait la patience de lire le tout avec attention, et j'espère qu'on s'en trouvera satisfait[1]. Car il me semble, que les raisons s'y entre-suivent en telle sorte que, comme

1. Parce qu'à défaut d'êtres démontrées à partir des principes de la métaphysique et de la physique cartésiennes, elles permettent d'expliquer les faits.

les dernières sont démontrées par les premières, qui sont leurs causes, ces premières le sont réciproquement par les dernières, qui sont leurs effets. Et on ne doit pas imaginer que je commette en ceci la faute que les logiciens nomment un cercle[1] ; car l'expérience rendant la plupart de ces effets très certains, les causes dont je les déduis ne servent pas tant à les prouver qu'à les expliquer ; mais, tout au contraire, ce sont elles qui sont prouvées par eux. Et je ne les ai nommées des suppositions, qu'afin qu'on sache que je pense les pouvoir déduire de ces premières vérités que j'ai ci-dessus expliquées, mais que j'ai voulu expressément ne le pas faire, pour empêcher que certains esprits, qui s'imaginent qu'ils savent en un jour tout ce qu'un autre a pensé en vingt années, sitôt qu'il leur en a seulement dit deux ou trois mots, et qui sont d'autant plus sujets à faillir, et moins capables de la vérité, qu'ils sont plus pénétrants et plus vifs, ne puissent de là prendre occasion de bâtir quelque philosophie extravagante sur ce qu'ils croiront être mes principes, et qu'on m'en attribue la faute. Car, pour les opinions qui sont toutes miennes, je ne les excuse point comme nouvelles, d'autant que, si on en considère bien les raisons, je m'assure qu'on les trouvera si simples et si conformes au sens commun, qu'elles sembleront moins extraordinaires, et moins étranges, qu'aucunes autres qu'on puisse avoir sur mêmes sujets. Et je ne me vante point aussi d'être le premier inventeur d'aucunes, mais bien que je ne les aie jamais reçues, ni pource qu'elles avaient été dites par d'autres, ni pource qu'elles ne l'avaient point été, mais seulement pource que la raison me les a persuadées[2].

Que si les artisans ne peuvent si tôt exécuter l'invention qui est expliquée en la Dioptrique[3], je ne crois pas

1. Sur la distinction qu'opère Descartes entre l'explication et la preuve. Cf. Dossier IV, 3.

2. C'est pour cette raison que Descartes affirmera plus tard que ses thèses sont les plus anciennes de toutes, n'y ayant rien de plus ancien que la raison.

3. Cf. *Dioptrique*, discours X, il s'agit d'un procédé pour tailler des verres en hyperbole.

qu'on puisse dire, pour cela, qu'elle soit mauvaise : car, d'autant qu'il faut de l'adresse et de l'habitude, pour faire et pour ajuster les machines que j'ai décrites, sans qu'il y manque aucune circonstance, je ne m'étonnerais pas moins, s'ils rencontraient du premier coup, que si quelqu'un pouvait apprendre, en un jour, à jouer du luth excellemment, par cela seul qu'on lui aurait donné de la tablature [1] qui serait bonne. Et si j'écris en français, qui est la langue de mon pays, plutôt qu'en latin, qui est celle de mes précepteurs, c'est à cause que j'espère que ceux qui ne se servent que de leur raison naturelle toute pure [2], jugeront mieux de mes opinions, que ceux qui ne croient qu'aux livres anciens. Et pour ceux qui joignent le bon sens avec l'étude, lesquels seuls je souhaite pour mes juges, ils ne seront point, je m'assure, si partiaux pour le latin, qu'ils refusent d'entendre mes raisons, pource que je les explique en langue vulgaire.

Au reste, je ne veux point parler ici, en particulier, des progrès que j'ai espérance de faire à l'avenir dans les sciences, ni m'engager envers le public d'aucune promesse que je ne sois pas assuré d'accomplir ; mais je dirai seulement que j'ai résolu de n'employer le temps qui me reste à vivre à autre chose qu'à tâcher d'acquérir quelque connaissance de la nature, qui soit telle qu'on en puisse tirer des règles pour la médecine, plus assurées que celles qu'on a eues jusqu'à présent ; et que mon inclination m'éloigne si fort de toute sorte d'autres desseins, principalement de ceux qui en sauraient être utiles aux uns qu'en nuisant aux autres, que, si quelques occasions me contraignaient de m'y employer, je ne crois point que je fusse capable d'y réussir. De quoi je fais ici une déclaration, que je sais bien ne pouvoir servir à me rendre considérable dans

1. C'est-à-dire une partition musicale.

2. Cf. *Principes, Lettre-préface à l'édition française*, AT IX-2, p. 9 : « ceux qui ont le moins appris de tout ce qui a été nommé jusques ici Philosophie sont les plus capables d'apprendre la vraie », parce que leur lumière naturelle n'a pas été offusquée ou pervertie par les erreurs de la philosophie commune.

le monde, mais aussi n'ai-je aucune envie de l'être ; et je me tiendrai toujours plus obligé à ceux par la faveur desquels je jouirai sans empêchement de mon loisir, que je ne ferais à ceux qui m'offriraient les plus honorables emplois de la terre.

DOSSIER

I. La méthode et la connaissance

1. Les songes du 10 novembre 1619

Il nous apprend que le dixième de novembre mille six cent dix-neuf, s'étant couché tout rempli de son enthousiasme, *et tout occupé de la pensée* d'avoir trouvé ce jour-là les fondements de la science admirable, *il eut trois songes consécutifs en une seule nuit, qu'il s'imagina ne pouvoir être venus que d'en haut. Après s'être endormi, son imagination se sentit frappée de la représentation de quelques fantômes qui se présentèrent à lui, et qui l'épouvantèrent de telle sorte que, croyant marcher par les rues, il était obligé de se renverser sur le côté gauche pour pouvoir avancer au lieu où il voulait aller, parce qu'il sentait une grande faiblesse au côté droit dont il ne pouvait se soutenir. Étant honteux de marcher de la sorte, il fit un effort pour se redresser ; mais il sentit un vent impétueux qui, l'emportant dans une espèce de tourbillon, lui fit faire trois ou quatre tours sur le pied gauche. Ce ne fut pas encore ce qui l'épouvanta. La difficulté qu'il avait de se traîner faisait qu'il croyait tomber à chaque pas, jusqu'à ce qu'ayant aperçu un collège ouvert sur son chemin, il entra dedans pour y trouver une retraite et un remède à son mal. Il tâcha de gagner l'église du collège, où sa première pensée était d'aller faire sa prière ; mais s'étant aperçu qu'il avait passé un homme de sa connaissance sans le saluer, il voulut retourner sur ses pas pour lui faire civilité, et il fut repoussé avec violence par le vent qui soufflait contre l'église. Dans le même temps il vit au milieu de la cour du collège une autre personne, qui l'appela par son nom en des termes civils et obligeants, et lui dit que, s'il voulait aller trouver Monsieur N., il avait quelque chose à lui donner. M. Descartes s'imagina que c'était un melon qu'on avait apporté de quelque pays étranger. Mais ce qui le surprit davantage fut de voir que ceux qui se rassemblaient avec cette personne autour de lui pour s'entretenir étaient droits et fermes sur leurs pieds : quoiqu'il fût toujours courbé et chancelant sur le même terrain, et que le vent qui avait pensé le renverser plusieurs fois eût beaucoup diminué. Il se réveilla sur cette imagination, et il sentit à l'heure même une douleur effective, qui lui fit craindre que ce ne fût l'opération de quelque mauvais génie qui l'aurait voulu séduire. Aussitôt il se retourna sur le côté droit ; car c'était sur le gauche qu'il s'était endormi et qu'il avait eu le songe. Il fit une prière à Dieu pour demander d'être garanti du mauvais effet de son songe, et d'être préservé de tous les malheurs qui pourraient le menacer en punition de ses péchés qu'il reconnaissait pouvoir être assez griefs pour attirer les foudres du ciel sur sa tête : quoiqu'il eût mené jusque-là une vie assez irréprochable aux yeux des hommes.*

Dans cette situation, il se rendormit, après un intervalle de près de deux heures dans des pensées diverses sur les biens et les maux de ce monde. Il lui vint aussitôt un nouveau songe, dans lequel il crut entendre un bruit aigu et éclatant, qu'il prit pour un coup de tonnerre. La frayeur qu'il en eut le réveilla sur l'heure même ; et ayant ouvert les yeux, il aperçut beaucoup d'étincelles de feu répandues par la chambre. La chose lui était déjà souvent arrivée en d'autres temps, et il ne lui était pas fort extraordinaire, en se réveillant au milieu de la nuit, d'avoir les yeux assez étincelants pour lui faire entrevoir les objets les plus proches de lui. Mais, en cette dernière occasion, il voulut recourir à des raisons prises de la philosophie ; et il en tira des conclusions favorables pour son esprit, après avoir observé, en ouvrant puis en fermant les yeux alternativement, la qua-

lité des espèces qui lui étaient représentées. Ainsi sa frayeur se dissipa, et il se rendormit dans un assez grand calme.

Un moment après, il eut un troisième songe, qui n'eut rien de terrible comme les deux premiers. Dans ce dernier, il trouva un livre sur sa table, sans savoir qui l'y avait mis. Il l'ouvrit et voyant que c'était un Dictionnaire, *il en fut ravi dans l'espérance qu'il pourrait lui être fort utile. Dans le même instant, il se rencontra un autre livre sous sa main, qui ne lui était pas moins nouveau, ne sachant d'où il lui était venu. Il trouva que c'était un recueil des Poésies de différents auteurs, intitulé* Corpus Poëtarum, *etc. Il eut la curiosité d'y vouloir lire quelque chose : et à l'ouverture du livre, il tomba sur le vers* Quod vitae sectabor iter ? *etc*[1]. *Au même moment il aperçut un homme qu'il ne connaissait pas, mais qui lui présenta une pièce de vers, commençant avec* Est et Non, *et qui la lui vantait comme une pièce excellente. M. Descartes lui dit qu'il savait ce que c'était et que cette pièce était parmi les Idylles d'Ausone, qui se trouvait dans le gros Recueil des Poètes qui était sur sa table. Il voulut la montrer lui-même à cet homme, et il se mit à feuilleter le livre dont il se vantait de connaître parfaitement l'ordre et l'économie. Pendant qu'il cherchait l'endroit, l'homme lui demanda où il avait pris ce livre, et M. Descartes lui répondit qu'il ne pouvait lui dire comment il l'avait eu ; mais qu'un moment auparavant il en avait manié encore un autre, qui venait de disparaître, sans savoir qui le lui avait apporté, ni qui le lui avait repris. Il n'avait pas achevé qu'il revit paraître le livre à l'autre bout de la table. Mais il trouva que ce* Dictionnaire *n'était plus entier comme il l'avait vu la première fois. Cependant il en vint aux Poésies d'Ausone, dans le Recueil des Poètes qu'il feuilletait ; et ne pouvant trouver la pièce qui commence par* Est et Non, *il dit à cet homme qu'il en connaissait une du même Poète encore plus belle que celle-là et qu'elle commençait par* Quod vitae sectabor iter ?

1. Il s'agit du début d'un poème d'Ausone qu'on trouve dans le *Corpus omnium veterum Poëtarum latinorum* (Lyon, 1603), à la même page que l'idylle XVII, qui commence par *Est* et *Non*. C'est ce recueil que Descartes utilisait à La Flèche.

La personne le pria de la lui montrer et M. Descartes se mettait en devoir de la chercher, lorsqu'il tomba sur divers petits portraits gravés en taille douce, ce qui lui fit dire que ce livre était fort beau, mais qu'il n'était pas de la même impression que celui qu'il connaissait. Il en était là, lorsque les livres et l'homme disparurent et s'effacèrent de son imagination, sans néanmoins le réveiller. Ce qu'il y a de singulier à remarquer, c'est que, doutant si ce qu'il venait de voir était songe ou vision, non seulement il décida en dormant que c'était un songe, mais il en fit encore l'interprétation avant que le sommeil le quittât. Il jugea que le Dictionnaire *ne voulait dire autre chose que toutes les Sciences ramassées ensemble et que le Recueil de Poésies, intitulé* Corpus Poëtarum, *marquait en particulier, et d'une manière plus distincte, la Philosophie et la Sagesse jointes ensemble. Car il ne croyait pas qu'on dût s'étonner si fort de voir que les poètes, même ceux qui ne font que niaiser, fussent pleins de sentences plus graves, plus sensées, et mieux exprimées que celles qui se trouvent dans les écrits des Philosophes. Il attribuait cette merveille à la divinité de l'enthousiasme, et à la force de l'imagination, qui fait sortir les semences de la sagesse (qui se trouvent dans l'esprit de tous les hommes, comme les étincelles de feu dans les cailloux) avec beaucoup plus de facilité, et beaucoup plus de brillant même, que ne peut faire la Raison dans les Philosophes. M. Descartes, continuant d'interpréter son songe dans le sommeil, estimait que la pièce de vers sur l'incertitude du genre de vie qu'on doit choisir, et qui commence par* Quod vitae sectabor iter ?, *marquait le bon conseil d'une personne sage, ou même la Théologie Morale.*

Là-dessus, doutant s'il rêvait ou s'il méditait, il se réveilla sans émotion et continua, les yeux ouverts, l'interprétation de son songe sur la même idée. Par les poètes rassemblés dans le Recueil il entendait la révélation et l'enthousiasme dont il ne désespérait pas de se voir favorisé. Par la pièce de vers Est et Non, *qui est le Oui et le Non de Pythagore, il comprenait la vérité et la fausseté dans les connaissances humaines et les sciences profanes. Voyant que l'application de toutes ces choses réussissait si bien à son gré, il fut assez hardi pour se persuader que c'était l'Esprit de Vérité qui avait voulu lui ouvrir les trésors de toutes les sciences par ce songe. Et comme il ne lui restait plus à expliquer que les petits portraits de taille-douce, qu'il avait trouvés dans le second livre, il n'en chercha plus l'explication après la visite qu'un peintre italien lui rendit dès le lendemain.*

Ce dernier songe, qui n'avait eu rien que de fort doux et de fort agréable, marquait l'avenir selon lui ; et il n'était que pour ce qui devait lui arriver dans le reste de sa vie. Mais il prit les deux précédents pour des avertissements menaçants touchant sa vie passée, qui pouvait n'avoir pas été aussi innocente devant Dieu que devant les hommes. Et il crut que c'était la raison de la terreur et de l'effroi dont ces deux songes étaient accompagnés. Le melon, dont on voulait lui faire présent dans le premier songe, signifiait, disait-il, les charmes de la solitude, mais présentés par des sollicitations purement humaines. Le vent qui le poussait vers l'église du collège, lorsqu'il avait mal au côté droit, n'était autre chose que le mauvais Génie qui tâchait de le jeter par force dans un lieu où son dessein était d'aller volontairement. C'est pourquoi Dieu ne permit pas qu'il avançât plus loin et qu'il se laissât emporter, même en un lieu saint, par un esprit qu'il n'avait pas envoyé : quoiqu'il fût très persuadé que c'eût été l'Esprit de Dieu qui lui avait fait faire les premières démarches vers cette église. L'épouvante dont il fut frappé dans le second songe, marquait, à son sens, sa syndérèse, c'est-à-dire les remords de sa conscience touchant les péchés qu'il pouvait avoir commis pendant le cours de sa vie jusqu'alors. La foudre, dont il entendit l'éclat, était le signal de l'Esprit de Vérité qui descendit sur lui pour le posséder.

Cette dernière imagination tenait assurément quelque chose de l'enthousiasme, et elle nous porterait volontiers à croire que M. Descartes aurait bu le soir avant de se coucher. En effet, c'était la veille de Saint-Martin, au soir de laquelle on avait coutume de faire la débauche au lieu où il était, comme en France. Mais il nous assure qu'il avait passé le soir et toute la journée dans une grande sobriété, et qu'il y avait trois mois entiers qu'il n'avait bu de vin. Il ajoute que le Génie, qui excitait en lui l'enthousiasme dont il se sentait le cerveau échauffé depuis quelques jours, lui avait prédit ces songes avant que de se mettre au lit, et que l'esprit humain n'y avait aucune part [...].

Son enthousiasme le quitta peu de jours après, et quoique son esprit eût repris son assiette ordinaire, et fût rentré dans son premier calme, il n'en devint pas plus décisif sur les résolutions qu'il avait à prendre. Le temps de son quartier d'hiver s'écoulait peu à peu dans la solitude de son poêle et, pour la rendre moins ennuyeuse, il se mit à composer un traité, qu'il espérait achever avant Pâques de l'an 1620. Dès le mois de février, il songeait à chercher des libraires pour traiter avec eux de l'impression de cet ouvrage. Mais il y a beaucoup d'apparence que ce traité fut interrompu pour lors et qu'il est toujours demeuré imparfait depuis ce temps-là : on a ignoré, jusqu'ici, ce que pouvait être ce traité qui n'a peut-être jamais eu de titre.

Adrien Baillet, *La Vie de Monsieur Des-Cartes*, II, I, t. 1, p. 81-86.

2. La sagesse universelle

Règle I : La fin des études doit être la direction de l'esprit en sorte qu'il forme des jugements solides et vrais touchant toutes les choses qui se présentent.

C'est la coutume des hommes, chaque fois qu'ils reconnaissent quelque similitude entre deux choses, d'attribuer en leurs jugements à toutes deux, même pource qui les distingue, ce qu'ils ont appris être vrai de l'une ou l'autre d'entre elles. Ainsi rapportant à tort les sciences qui consistent tout entières en ce que connaît l'esprit, aux arts, qui requièrent certain usage et disposition du corps, remarquant aussi qu'un seul homme ne peut pas apprendre ensemble tous les arts, mais que celui-là devient plus aisément un excellent artisan, qui n'en exerce qu'un seul, parce que les mêmes mains ne peuvent point se faire aussi commodément aux travaux des champs et au toucher de la cithare, ou à d'autres offices différents, qu'à un seul d'entre eux ; ils ont cru qu'il en est aussi de même dans les sciences, et les distinguant l'une de l'autre selon la diversité de leurs objets, ils pensèrent qu'il fallait poursuivre chacune d'elles séparément et en omettant toutes les autres. En quoi ils furent entièrement déçus. En effet comme toutes les sciences ne sont rien d'autre que la sagesse humaine, qui demeure toujours une et semblable à soi, si différents que puissent être les sujets auxquels elle s'applique, et qu'elle n'en reçoit pas plus de diversité, que la lumière du soleil de la variété des choses qu'elle illumine, il n'est point nécessaire de contenir nos esprits dans aucune borne ; car la connaissance d'une vérité ne nous détourne point de l'invention d'une autre, comme il en est pour l'usage d'un seul art, mais nous y aide plutôt. Et certes, il me paraît étonnant, que la plupart des hommes scrutent avec le plus grand soin les vertus des plantes, les révolutions des astres, les transmutations des métaux, et les objets des disciplines de cette sorte, cependant que presque personne ne pense au bon sens ou Sagesse universelle dont il s'agit ici, alors que toutes les autres choses ne se doivent pas tant estimer pour elles-mêmes, que pour ce qu'elles lui apportent quelque chose. Ce n'est donc pas sans raison que nous avançons et posons cette règle comme la première de toutes, puisque rien ne nous détourne davantage du droit chemin pour rechercher la vérité, que de ne point diriger nos études vers cette fin générale mais vers quelques autres particulières [...]. Il se faut donc convaincre que toutes les sciences sont entre elles si étroitement liées, qu'il est bien plus aisé de les apprendre toutes ensemble, que d'en détacher une des autres. Que si donc quelqu'un se résout à rechercher sérieusement la vérité des choses, il doit ne pas choisir une science particulière : car elles sont toutes conjointes entre elles et dépendent les unes des autres ; mais qu'il pense seulement à l'accroissement de la lumière naturelle de la raison, non pour résoudre l'une ou l'autre difficulté d'école, mais pour que dans chacune des occasions de la vie l'entendement indique à la volonté quel parti choisir ; et en peu de temps il s'étonnera d'avoir fait des progrès beaucoup plus grands, que ceux qui étudient des choses particulières, et d'avoir non seulement atteint à tous ces succès que désirent les autres, mais encore à de plus grands que ceux qu'ils pouvaient attendre.

Règles pour la direction de l'esprit, I, p. 1-2.

(Trad. J.-L. Marion, La Haye, Martinus Nijhoff, 1977. Tous les extraits suivants sont cités dans cette traduction avec l'aimable autorisation de Kluwer Academic Publishers.)

Il est remarquable [...] que ceux qui savent vraiment distinguent aussi aisément la vérité qu'ils l'aient tirée d'un sujet simple, ou d'un obscur ; car ils comprennent toute vérité d'un acte semblable, unique, et distinct, une fois qu'ils y sont parvenus une bonne fois ; mais la diversité se trouve toute dans le chemin, qui doit certes être plus long, s'il conduit à une vérité plus éloignée des principes les premiers et les plus absolus.

Règles pour la direction de l'esprit, IX, p. 33.

3. L'HISTOIRE DE LA PHILOSOPHIE ET LE BON SENS

Il faut lire les ouvrages des Anciens, parce que c'est pour nous un immense avantage de pouvoir user des travaux de tant d'hommes : tant pour connaître ce qui jadis a été correctement trouvé, que pour être avertis des choses à l'explication desquelles il faut s'appliquer encore à force de pensée. Mais cependant il est fort à craindre, que peut-être certaines erreurs, contractées par une lecture trop attentive, ne viennent à nous souiller puis malgré nous et tous nos soins, à nous imprégner. Tel est en effet l'esprit des écrivains, que toutes les fois qu'ils se sont décidés par un faux pas de leur crédulité irréfléchie pour quelque opinion disputée, ils s'efforcent toujours de nous y amener par des arguments très subtils ; tout au contraire, toutes les fois qu'ils ont par une heureuse fortune trouvé quelque chose de certain et d'évident, ils ne le font jamais voir sans l'envelopper de plusieurs obscurités, craignant sans doute que la simplicité de leurs raisons n'ôte à la dignité de leur invention, soit parce qu'ils nous refusent jalousement la vérité toute découverte.

Mais cependant, même s'ils étaient tous sincères et ouverts, et ne nous imposaient jamais pour vraies des choses douteuses, mais nous les exposaient toutes ensemble de bonnes fois, comme par ailleurs il n'y a presque rien qui n'ait été dit par l'un dont le contraire n'ait été avancé par un autre, nous serions toujours incertains, auquel des deux donner notre créance. Et il ne servirait de rien de compter les voix pour suivre l'opinion qui compterait le plus d'Autorités : car s'il s'agit d'une question difficile, il est plus croyable qu'un petit nombre aient pu trouver la vérité, plutôt que beaucoup. Quand bien même conviendraient-ils tous ensemble, leur doctrine ne suffirait point : car jamais, en un mot, nous ne serons parvenus à être Mathématiciens quand nous saurions de mémoire toutes les démonstrations de quelques autres, si notre esprit n'est pas propre à résoudre tous les problèmes qui se peuvent trouver ; ni Philosophes, si nous avons lu tous les arguments de Platon et d'Aristote, sans pourtant pouvoir porter un jugement ferme sur les choses < qui sont > proposées : car de la sorte, nous ne paraîtrions pas avoir appris des sciences, mais des histoires.

Règles pour la direction de l'esprit, III, p. 6-7.

4. La découverte de la méthode

Règle X : Pour que l'esprit acquière l'adresse, il faut qu'il pratique la recherche de cela même que d'autres ont déjà trouvé, et qu'il parcoure avec méthode tous les effets de l'art des hommes, même les moins importants, mais principalement ceux qui montrent de l'ordre ou qui en supposent.

J'avoue être né avec l'esprit ainsi fait que j'ai toujours mis le plus grand plaisir des études, non point à écouter les raisons des autres, mais à les trouver par mon industrie propre, et cela seul m'ayant attiré à l'étude des sciences quand j'étais encore jeune, chaque fois que quelque livre promettait en titre une nouvelle invention, avant de pousser outre la lecture, je faisais l'expérience si j'atteindrais peut-être quelque succès semblable grâce à quelque adresse mise en moi par la nature, et je prenais grand soin qu'une lecture hâtive ne me ravisse point ce plaisir innocent. Ce qui me réussit si souvent que j'en vins à remarquer que je ne parvenais plus à la vérité des choses, comme le font habituellement les autres, par des recherches errantes et aveugles, s'aidant plutôt de la fortune que de l'art ; mais que par une longue expérience j'avais aperçu des règles certaines qui n'y sont pas d'un petit secours, par l'usage desquelles j'ai fini par en penser plusieurs autres. Et ainsi j'ai soigneusement cultivé toute cette méthode, et je me suis persuadé que j'avais dès les commencements suivi la plus utile d'entre toutes les façons d'étudier.

Règles pour la direction de l'esprit, X, p. 34-35

5. Nécessité de la méthode

Et il est bien meilleur de ne jamais penser à chercher la vérité d'aucune chose que de le faire sans méthode : car il est très certain que de telles études menées sans ordre, et des méditations obscures, troublent la lumière naturelle et aveuglent les esprits ; et tous ceux qui se sont accoutumés à marcher ainsi dans les ténèbres affaiblissent tant l'acuité de leurs yeux qu'ils ne peuvent plus ensuite supporter à découvert la lumière : ce que confirme aussi l'expérience, puisque nous voyons aussi très souvent ceux, qui n'ont jamais mis leurs soins dans les lettres, juger beaucoup plus solidement et clairement les choses qu'ils rencontrent, que ceux qui ont passé tout leurs temps aux écoles. Par méthode, j'entends des règles certaines et aisées, grâce auxquelles tous ceux qui les auront exactement observées, n'admettront jamais rien de faux pour vrai, et sans se fatiguer l'esprit en efforts inutiles, mais en augmentant toujours < comme > par degrés leur science, parviendront à la connaissance vraie de toutes les choses dont < leur esprit > sera capable.

Règles pour la direction de l'esprit, IV, p. 10-11.

6. Utilité de la méthode

Dans tout le Traité nous nous efforcerons de poursuivre si exactement tous les chemins qui s'ouvrent aux hommes pour connaître la vérité et de les faire voir si aisément que quiconque aura parfaitement appris toute cette méthode, encore que son esprit soit aussi médiocre qu'on voudra, verra pourtant qu'aucun < d'entre eux > ne lui est du tout plus fermé qu'aux autres, et qu'il n'ignore plus rien par défaut d'esprit ou d'art.

Règles pour la direction de l'esprit, VIII, p. 31.

7. Méthode et mathématiques

A. *Les mathématiques*

Quand je commençai à appliquer mon esprit aux disciplines mathématiques, je lus d'abord la plupart de ce qu'en rapportent les Autorités qu'on lit d'habitude, et je me plaisais surtout à l'Arithmétique et à la Géométrie, parce qu'on les disait être très simples et comme des chemins vers les autres. Mais en aucune des deux ne me tombaient alors entre les mains d'Écrivains, qui me satisfassent pleinement : car certes j'y lisais plusieurs choses à propos des nombres, que j'expérimentais être vraies après en avoir fait les calculs ; à propos des figures aussi, ils en faisaient voir beaucoup en une certaine manière à mes yeux mêmes, et ils les concluaient à partir de certaines conséquences < de raisons > ; mais ils ne semblaient pas montrer à l'esprit pourquoi ces choses étaient ainsi, et comment on les trouvait.

Règles pour la direction de l'esprit, IV, p. 13.

B. *L'analyse des géomètres*

Tous les problèmes de Géométrie se peuvent facilement réduire à tels termes, qu'il n'est besoin, par après, que de connaître la longueur de quelques lignes droites, pour les construire.

La Géométrie, I, AT VI, p. 369

Ainsi, voulant résoudre quelque problème, on doit d'abord le considérer comme déjà fait, et donner des noms à toutes les lignes qui semblent nécessaires pour le construire, aussi bien à celles qui sont inconnues qu'aux autres. Puis, sans considérer aucune différence entre ces lignes connues et inconnues, on doit parcourir la difficulté selon l'ordre qui montre, le plus naturellement de tous, en quelle sorte elles dépendent mutuellement les unes des autres, jusques à ce qu'on ait trouvé moyen d'exprimer une même quantité en deux façons : ce qui se nomme une équation, car les termes de l'une de ces deux façons sont égaux à ceux de l'autre. Et on doit trouver autant de telles équations qu'on a supposé de lignes qui étaient inconnues. Ou bien, s'il ne s'en trouve pas tant, et que, nonobstant, on n'omette rien de ce qui est désiré en la question, cela témoigne qu'elle n'est pas entièrement déterminée ; et lors, on peut prendre à discrétion des lignes connues, pour toutes les inconnues auxquelles ne correspond aucune équation. Après cela, s'il en reste encore plusieurs, il se faut servir par ordre de chacune des équations qui restent aussi, soit en la considérant toute seule, soit en la comparant avec les autres, pour expliquer chacune des ces lignes inconnues, et faire ainsi, en les démêlant, qu'il n'en demeure qu'une seule, égale à quelque autre qui soit connue, ou bien dont le carré, ou le cube, ou le carré du carré, ou le sursolide, ou le carré de cube, etc., soit égal à ce qui se produit par l'addition, ou soustraction, de deux ou plusieurs autres quantités, dont l'une soit connue, et les autres soient composées de quelques moyennes proportionnelles entre l'unité et ce carré, ou cube, ou carré de carré, etc., multipliées par d'autres connues.

La Géométrie, I, AT VI, p. 372-373.

C. *La* mathesis *des Anciens*

Nous remarquons en effet que les anciens Géomètres se sont servis de quelque analyse, qu'ils étendaient à la résolution de tous les problèmes, quoiqu'ils l'aient jalousement cachée à leurs neveux. Et de nos jours fleurit un certain genre d'Arithmétique, qu'on nomme Algèbre, qui accomplit touchant les nombres ce que les Anciens faisaient touchant les figures. Mais ces deux < sciences > ne sont rien d'autre que des fruits mûris d'eux-mêmes à partir des principes de notre méthode qui sont naturellement en nous, et je ne m'étonne pas qu'ils aient jusqu'à ce jour grandi plus heureusement touchant des objets très simples de ces arts-ci qu'en d'autres, où de plus grands embarras les étouffent ordinairement ; mais où aussi pourtant, pourvu qu'on les cultive avec le plus grand soin, ils pourront sans aucun doute parvenir à parfaite maturité.

Et pour moi, c'est ce que j'ai principalement entrepris de faire dans ce Traité ; et en effet, je ne ferais point grand cas de ces règles, si elles ne suffisaient qu'à résoudre ces vains problèmes, où les Calculateurs et les Géomètres s'amusent habituellement à perdre leur temps ; car je croirais n'avoir rien gagné d'autre, que de m'être occupé de bagatelles sans avoir été peut-être moins subtil que d'autres. Et bien que j'aie dessein de dire maintes choses des figures et des nombres, puisqu'on ne peut demander à aucunes autres sciences des exemples aussi évidents et aussi certains, pourtant tous ceux qui considéreront attentivement mon sentiment, apercevront aisément que je pense ici à rien moins qu'à la Mathématique commune, mais que j'explique certaine autre discipline, dont ils sont plutôt l'habit que les parties. Car elle doit contenir les premiers essais de la raison humaine et s'étendre jusqu'à tirer des vérités de n'importe quel sujet qu'on voudra ; et même, à parler franc, je me persuade qu'elle l'emporte sur toute autre connaissance que nous aient laissée les hommes, puisqu'elle est la source de toutes les autres.

Règles pour la direction de l'esprit, IV, p. 12.

Aussi lorsque ensuite je pensais < à la raison > d'où il venait donc, que les premiers qui inventèrent autrefois la Philosophie ne voulaient recevoir dans l'étude de la sagesse personne qui ne fût versé dans la *Mathesis*, comme si cette discipline leur semblait la plus aisée et la plus nécessaire de toutes pour dégrossir et préparer les esprits à recevoir d'autres sciences plus considérables, je me pris à soupçonner, qu'ils avaient connu une certaine *Mathesis* fort différente de celle qui règne communément dans notre siècle ; ce n'est pas que j'estimais qu'ils en aient eu une connaissance parfaite, car leurs transports insensés et les sacrifices qu'ils faisaient pour les plus petites inventions montrent ouvertement, combien ils restaient grossiers. Et ce ne sont pas certaines de leurs machines, que vantent les Historiens, qui me font changer d'opinion : car quoique peut-être elles aient existé fort simples, elles suffisaient aisément pour être réputées des miracles auprès d'une foule ignorante et facile à étonner. Mais je me persuade, que certaines premières semences de vérités que la nature a mises en l'esprit des hommes, et que, chaque jour tant d'erreurs que nous lisons et entendons dire, éteignent en nous, gardaient encore assez de forces dans l'âge fruste et pur des Anciens, pour que la même lumière de l'esprit ; qui leur avait fait voir qu'il faut préférer la vertu au plaisir et l'honnête à l'utile, bien qu'ils ignorassent pourquoi il en est ainsi, leur ait fait aussi connaître les vraies idées de la Philosophie et de la *Mathesis*, quoiqu'ils n'aient pu encore atteindre à ces sciences mêmes. Et même certaines traces de cette vraie *Mathesis* me semblent paraître déjà dans Pappus et Diophante, qui, encore qu'ils ne remontassent point aux premiers âges, vécurent cependant de nombreux siècles avant notre temps. Et je croirais presque que, par une ruse détestable, ces Écrivains eux-mêmes l'ont supprimée ensuite de leurs écrits ; car comme il est constant que font maints artisans pour leurs inventions, ils ont craint peut-être, parce qu'elle est très facile et simple, qu'elle ne se perdît en se divulguant, et ils ont préféré nous faire voir à sa place quelques vérités stériles démontrées par des conséquences tirées très finement, comme un effet de leur art, pour que nous les admirions, plutôt que de nous enseigner leur art lui-même, ce qui eût ôté toute occasion d'admiration. Il se trouva enfin quelques hommes d'un très grand esprit qui entreprirent, en notre siècle, de la relever : car cet art, qu'ils appellent d'un nom arabe, « Algèbre », ne me semble être rien d'autre, si seulement on pouvait le débarrasser de la multiplicité des nombres et des figures inexplicables, qui le ruinent, afin qu'il ne lui manque plus cette grande facilité et transparence, que nous supposons devoir être dans la vraie *Mathesis.*

Règles pour la direction de l'esprit, IV, p. 13-14.

8. La *Mathesis universalis* : ordre et mesure

Comme ces pensées m'avaient détourné des études particulières de l'Arithmétique et de la Géométrie pour m'appeler à la recherche d'une certaine *Mathesis* générale, je m'interrogeais d'abord sur ce que tous comprennent très précisément par ce nom, et pourquoi on appelle parties de la Mathématique non seulement celles < que j'ai > dites, mais aussi l'Astronomie, la Musique, l'Optique, la Mécanique et plusieurs encore. Il ne suffit pas ici de considérer l'origine du terme : en effet, puisque le nom *Mathesis* ne veut rien dire d'autre que « discipline », < toutes les autres > se pourraient appeler « Mathématiques », avec le même droit que la Géométrie même. Mais d'ailleurs nous ne voyons presque personne, s'il a seulement atteint le seuil des écoles, qui ne distingue aisément parmi les choses qui se présentent ce qui concerne la *Mathesis* et ce qui concerne les autres disciplines. Pourtant, il parut à < celui > qui s'y applique plus attentivement, que seules toutes < les choses >, où se peut examiner un certain ordre ou mesure, se rapportent à la *Mathesis*, et il n'y a aucune différence qu'on doive chercher telle mesure dans des nombres, ou des figures, ou des astres, ou des sons, ou dans n'importe quel objet qu'on voudra ; et en suite, il doit y avoir une certaine science générale, qui explique tout ce qu'on peut chercher touchant l'ordre et la mesure, qui n'est liée à aucune matière spéciale, et qu'elle se nomme, non pas d'un nom emprunté, mais déjà ancien et d'usage reçu, *Mathesis Universalis*, puisqu'elle contient tout ce pourquoi les autres sciences sont appelées aussi parties de la Mathématique. De combien donc elle surpasse en utilité et en facilité les autres sciences qui lui sont soumises, cela paraît de ce qu'elle s'étend aussi à tout ce à quoi s'étendent celles-là, et par là-dessus à bien plus encore, et de ce qu'en celles-là existent aussi les mêmes difficultés qu'en elle, au cas où elle en aurait, mais que là-dessus y sont encore toutes les autres difficultés dues à leurs objets particuliers, que celle-ci n'a point.

Règles pour la direction de l'esprit, IV, p. 14-15.

9. Des *Regulae* aux préceptes du *Discours*

A. *L'*intuitus

Par regard (*intuitus*), je n'entends ni le témoignage changeant des sens, ni le jugement trompeur de l'imagination qui compose mal, mais la conception d'un esprit pur et attentif si aisée et si distincte, qu'il ne reste plus aucun doute sur ce que nous entendons ; ou bien, ce qui est le même, la conception indubitable d'un esprit pur et attentif, qui naît de la seule lumière de la raison, et est plus certaine que la déduction elle-même, parce que plus simple, laquelle nous avons pourtant noté ne pouvoir être mal faite par l'homme. Ainsi chacun peut regarder par l'esprit qu'il existe, qu'il pense, que le triangle est limité par trois lignes seulement, la sphère par une seule surface, et choses semblables, qui sont bien plus nombreuses que ne le remarquent communément la plupart, parce qu'ils ne daignent point tourner leur esprit à des choses si faciles.

Règles pour la direction de l'esprit, III, p. 8.

Règle IX : Il convient de tourner la vue de l'esprit tout entière sur des choses très petites et les plus aisées et de nous y attarder assez longtemps, pour nous accoutumer à la fin à regarder la vérité avec distinction et transparence.

Règles pour la direction de l'esprit, IX, p. 32.

B. *L'ordre*

Règle V : Toute la méthode ne consiste qu'à disposer en ordre les choses vers lesquelles doit se tourner la vue de l'esprit pour que nous trouvions quelque vérité. Nous l'observerons exactement si nous réduisons < comme > par degrés les propositions embarrassées et obscures à d'autres plus simples, et ensuite si à partir du regard posé sur les plus simples de toutes nous entreprenons de nous élever par les mêmes degrés à la connaissance de toutes les autres.

Règles pour la direction de l'esprit, V, p. 16.

C. *Le retour au simple*

Règle VI : Pour distinguer les choses les plus simples des < autres > embarrassées et pour les poursuivre avec ordre, il faut dans chaque suite de choses, où nous avons directement déduit les unes des autres quelques vérités, observer quel est le < terme le > plus simple et comment tous les autres s'en éloignent plus, ou moins, ou également.

Encore que cette proposition paraisse ne rien enseigner de fort nouveau, elle contient pourtant le principal secret de l'art, et aucune autre n'est plus utile dans tout ce traité : elle avertit en effet que toute les choses peuvent être disposées en de certaines suites, non certes en tant qu'elles sont rapportées à un certain genre d'être, ainsi que les Philosophes les ont divisées suivant leurs catégories, mais en tant que les unes peuvent être connues à partir des autres, en sorte que, chaque fois qu'une difficulté se présentera, nous puissions aussitôt remarquer, s'il ne serait pas avantageux d'en parcourir du regard certaines autres d'abord, et lesquelles, et dans quel ordre.

Règles pour la direction de l'esprit, VI, p. 17-18.

D. *Le dénombrement*

Règle VII : Pour achever la science, il faut parcourir une à une toutes les choses qui touchent à notre dessein, par un mouvement continu et nulle part interrompu de la pensée, et les comprendre dans un dénombrement suffisant et fait selon l'ordre.

L'observation des < préceptes > qu'on propose ici est nécessaire pour admettre au nombre des certaines ces vérités que nous avons dites plus haut ne pouvoir être immédiatement déduites des premiers principes connus par soi. En effet, cela arrive parfois par une si longue chaîne de conséquences que, lorsque nous parvenons à ces vérités, nous ne nous souvenons plus si aisément de tout le chemin qui nous y a conduits ; et aussi disons-nous qu'il faut venir en aide à l'infirmité de notre mémoire par un certain mouvement de la pensée. Donc, par exemple, si j'ai appris par plusieurs opérations premièrement, en quelle façon la grandeur A et la grandeur B sont entre elles, puis B et C, puis encore C et D et enfin D et E : je ne vois point pour autant en quelle façon A et E sont entre eux, et je ne puis l'entendre précisément d'après ceux que je connais déjà, si je ne me souviens de tous. Aussi, je les parcourrai quelques fois d'un certain mouvement continu de la pensée, qui regarde chaque chose et < tout > ensemble passe aux autres, jusqu'à ce que j'aie appris à passer si vite de l'un à l'autre que, n'en abandonnant presque aucune partie à la mémoire, il me semble que je vois la chose entière toute ensemble d'un seul regard, par quoi en effet, tout en soulageant la mémoire, on corrige aussi la lenteur de l'esprit, et par une certaine raison, on étend sa capacité.

Nous ajoutons cependant qu'il ne faut nulle part interrompre ce mouvement ; car il arrive souvent que ceux, qui entreprennent de déduire trop vite quelque chose de principes lointains, ne parcourent pas tout l'enchaînement des conclusions intermédiaires assez soigneusement, pour ne point en sauter inconsidérément plusieurs. Or, certes, là où on omet seulement un terme, quelque petit qu'il soit, aussitôt la chaîne est rompue, et la certitude de la conclusion tombe tout < entière >.

Règles pour la direction de l'esprit, VII, p. 22-23.

La mémoire, dont on a dit que dépend la certitude des conclusions qui embrassent plus < de termes > que nous n'en pouvons saisir par un seul regard, comme elle est instable et fragile, doit être rappelée et affermie par ce mouvement continu et répété de la pensée : en sorte que, si par plusieurs opérations j'ai appris d'abord, en quelle façon une première grandeur se rapporte à une seconde, ensuite la seconde à une troisième, puis la troisième à une quatrième, enfin la quatrième à une cinquième, je n'en vois pas pour autant quelle est celle de la première à la cinquième, et je ne puis la déduire de celles que je connais déjà, à moins de me souvenir de toutes ; à cause de quoi il m'est nécessaire de les parcourir d'une pensée réitérée, jusqu'à ce que je passe si vite de la première à la dernière, que n'en laissant presque aucune partie à la mémoire, je paraisse regarder la chose entière toute ensemble.

Règles pour la direction de l'esprit, XI, p. 38.

10. Les natures simples

Il faut remarquer [...] qu'il n'y a que bien peu de natures pures et simples, qu'il soit permis de regarder d'abord et par elles-mêmes, sans qu'elles dépendent d'aucune autre, mais soit dans les expériences mêmes, soit par une certaine lumière mise en nous, et nous disons qu'il faut soigneusement les observer : car ce sont les mêmes, dans n'importe quelle série que nous appelons les plus simples. Nous ne pouvons au contraire percevoir toutes les autres qu'en les déduisant de celles-ci, et ceci soit immédiatement et prochainement, soit seulement par deux, trois ou plus encore de conclusions diverses ; dont il faut remarquer aussi le nombre, pour reconnaître si elles sont éloignées par plus ou moins de degrés de la première et plus simple proposition. Et tel est partout l'enchaînement des conséquences qui s'entre-suivent, d'où naissent ces suites de choses à rechercher, auxquelles il faut réduire toute question, pour pouvoir l'examiner avec la certitude de la méthode.

Règles pour la direction de l'esprit, VI, p. 19.

Nous disons [...] qu'il faut considérer chacune des choses quand elles sont ordonnées à notre connaissance autrement que si nous parlions des mêmes pour autant qu'elles existent réellement. Car si, en un mot, nous considérons un corps étendu et doué de figure, nous avouerons certes qu'il est, de la part de la chose, un et simple ; car il ne pourrait, en ce sens, être dit composé de nature corporelle, d'extension et de figure, puisque ces parties n'ont jamais existé distinctes les unes des autres ; mais au respect de notre entendement, nous l'appelons un composé de ces trois natures, parce que nous les avons entendues chacune séparément, avant de pouvoir juger qu'elles se trouvent toutes trois ensemble en un seul et unique sujet. C'est pourquoi, comme nous ne traitons ici des choses que pour autant que nous les apercevons par l'entendement, nous n'appelons simples que celles seulement dont la connaissance est si transparente et distincte, que l'esprit ne pourrait la diviser en plusieurs autres qui lui seraient connues plus distinctement, tels sont la figure, l'étendue, le mouvement, etc. ; mais nous concevons que toutes les autres sont d'une certaine manière composées de celles-ci.

Règles pour la direction de l'esprit, XII, p. 45.

Nous disons [...] que ces choses qui au respect de notre entendement sont dites simples, sont ou purement intellectuelles ou purement matérielles, ou communes. Sont purement intellectuelles celles que notre entendement connaît par une certaine lumière mise en nous par la nature, et sans l'aide d'aucune image corporelle : il est certain en effet qu'il en est plusieurs semblables et que l'on ne peut forger aucune idée corporelle, pour nous rendre présent ce qu'est la connaissance, le doute, l'ignorance, de même ce qu'est l'action de la volonté, que l'on peut appeler volition, et d'autres pareilles ; toutes choses que nous connaissons pourtant réellement, et même si aisément qu'il suffit pour cela que nous participions de la raison. Sont purement matérielles celles qui ne se connaissent que dans des corps : comme sont la figure, l'étendue, le mouvement, etc. Enfin, on doit dire communes celles, qu'on attribue tantôt aux choses corporelles, tantôt aux spirituelles sans distinguer, comme l'existence, l'unité, la durée, et autres semblables. À quoi il faut encore rapporter ces notions communes qui sont comme de certains liens pour joindre entre elles d'autres natures simples, et dont l'évidence soutient tout ce que nous concluons en raisonnant. À savoir celles-ci : deux quantités égales à une même troisième, sont égales entre elles ; de même, deux choses qui ne peuvent être rapportées à une même troisième en même façon ont aussi entre elles quelque diversité, etc. Et certes, ces notions communes peuvent être connues ou bien par le pur entendement, ou bien par celui-ci regardant les images des choses matérielles.

Règles pour la direction de l'esprit, XII, p. 46.

Nous disons [...] que ces natures simples sont toutes connues de soi et ne contiennent jamais aucune fausseté. Ce qui se montrera aisément, si nous distinguons cette faculté de l'entendement, par laquelle la chose est regardée et connue de cette autre grâce à laquelle il juge en affirmant ou en niant ; car il se peut faire que nous pensions ignorer < des choses > qu'en réalité nous connaissons, savoir si nous soupçonnons qu'outre ce que nous regardons, ou ce que nous touchons par réflexion, s'y trouve quelque < autre > chose qui nous reste cachée, et que notre pensée présente est fausse. Pour cette raison nous nous trompons < bien > évidemment si nous jugeons jamais ne pas connaître tout entière une quelconque de ces natures simples : car si nous en touchons par l'esprit ne fût-ce qu'< une partie > très petite, ce qui assurément est nécessaire, puisque nous supposons que nous portons sur elle quelque jugement, de cela seul il faut conclure, que nous la connaissons tout entière ; car autrement on ne pourrait la dire simple, mais composée de ce que nous percevons en elle et de ce que nous jugeons en ignorer.

Règles pour la direction de l'esprit, XII, p. 47.

Il résulte [...] que toute la science de l'homme ne consiste qu'à voir distinctement, comment ces natures simples concourent ensemble à composer d'autres choses. Ce qu'il est fort utile de remarquer ; car toutes les fois qu'on propose d'examiner une difficulté, presque tous n'en dépassent point le seuil, incertains qu'ils sont à quelles pensées ils doivent occuper leur esprit, et s'avisant de rechercher quelque nouveau genre d'être qu'ils ne connaissent pas encore : comme si on demande la nature de l'aimant, ils se hâtent, parce qu'ils augurent que la chose est ardue et difficile, de détourner leur esprit de toutes les < choses > qui sont évidentes, pour le tourner vers les plus difficiles, et marchent au hasard dans l'attente qu'à force d'errer à travers l'espace vain des causes multiples ils finiront peut-être par découvrir quelque nouveauté. Mais celui qui pense que rien ne se peut connaître dans l'aimant, qui ne consiste en certaines natures simples et connues par soi, sachant certainement ce qu'il convient de faire, rassemble d'abord soigneusement toutes les expériences qu'on peut avoir sur cette pierre, dont il s'efforce ensuite de déduire, quel est le mélange nécessaire de natures simples pour produire tous les effets qu'il a éprouvé être dans l'aimant ; l'ayant une bonne fois trouvé, il peut résolument assurer qu'il a perçu la vraie nature de l'aimant autant qu'un homme à partir des expériences données la pouvait trouver.

Règles pour la direction de l'esprit, XII, p. 52.

Pour nous servir aussi de l'aide de l'imagination, il faut remarquer, chaque fois qu'on déduit un terme inconnu de quelque autre auparavant déjà connu, qu'on ne trouve pas pour cela quelque nouveau genre d'être, mais qu'on étend seulement toute cette connaissance jusqu'à ce que nous apercevions que la chose cherchée participe en une façon ou en une autre à la nature de celles qui sont données dans la proposition [...] s'il se produit dans l'aimant un certain genre d'être auquel notre entendement n'a encore rien aperçu de semblable, nous ne devons pas espérer pouvoir jamais le connaître par raisonnement, car il faudrait que nous soyons munis soit de quelque sens nouveau, soit d'un esprit divin ; or, tout ce que l'esprit humain peut promettre dans cette chose, nous croirons nous l'être approprié, si nous avons très distinctement aperçu le mélange de natures ou d'êtres déjà connus, qui produit les mêmes effets qui paraissent dans l'aimant.

Règles pour la direction de l'esprit, XIV, p. 60-61.

Il résulte [...] de ce qu'on a dit qu'on ne doit pas penser qu'il se trouve des connaissances des choses plus obscures que d'autres, puisque toutes sont de même nature, et consistent dans la composition seule des choses connues par soi.

Règles pour la direction de l'esprit, XII, p. 52.

11. La science des rapports et proportions

Et certes, tous ces êtres déjà connus, comme sont l'étendue, la figure, le mouvement et autres semblables, qu'il n'est pas lieu ici de dénombrer sont connus par une même idée en divers sujets, et nous n'imaginons pas la figure d'une couronne différemment si elle est en argent que si elle est en or ; et cette idée commune ne se transporte d'un sujet à un autre autrement que par simple comparaison, selon laquelle nous affirmons que la chose demandée est sous tel ou tel rapport semblable, pareille ou égale à quelque terme donné : en sorte que dans tout raisonnement nous ne reconnaissons précisément la vérité que par comparaison [...] absolument toute connaissance, qu'on n'acquiert point par le regard simple et pur < pris > d'une chose unique, est acquise par la comparaison de deux ou plusieurs termes entre eux. Et certes, quasi toute l'industrie de la raison humaine consiste à préparer cette opération ; car quand elle est ouverte et < toute > simple, il n'est besoin d'aucune aide de l'art, mais de la lumière naturelle seule pour regarder la vérité qui s'acquiert par elle.

Il faut remarquer qu'on appelle les comparaisons simples et ouvertes seulement chaque fois que la < chose > cherchée et la < chose > donnée participent également de quelque nature ; mais toutes les autres n'ont besoin de préparation pour nulle autre raison, sinon parce que cette nature commune ne se trouve pas également en elles deux, mais selon certaines autres façons ou proportions où elle reste enveloppée ; et l'industrie humaine n'est principalement pas située ailleurs que dans la réduction de ces proportions jusqu'à ce que l'égalité entre la < chose > demandée et quelque < chose > connue, soit vue clairement.

Règles pour la direction de l'esprit, XIV, p. 61-62.

12. La logique traditionnelle

A. *Critique de la logique traditionnelle*

Mais peut-être plusieurs s'étonneront-ils qu'en ce lieu où nous recherchons le moyen de nous rendre plus propres à déduire les vérités les unes des autres, nous omettions tous les préceptes des Dialecticiens, par lesquels ils pensent régir la raison humaine, en lui prescrivant certaines formes de discours, qui concluent si nécessairement, que la raison qui s'y fie, quand même elle s'amuserait en quelque manière à négliger la considération attentive et évidente de l'inférence, pourrait cependant en conclure quelque certitude par la vertu de la forme : c'est que nous avons remarqué que souvent la vérité s'échappe de ces liens cependant qu'y demeurent précisément empêchés ceux mêmes qui en ont usé. Ce qui n'arrive pas si souvent aux autres ; et nous expérimentons même, que tous les sophismes les plus aiguisés ne trompent d'habitude presque personne qui use de sa pure raison, mais bien les Sophistes eux-mêmes.

C'est pourquoi prenant ici principalement garde que notre raison ne s'amuse pas, pendant que nous examinons la vérité d'une chose, nous rejetons ces formes en les réputant obstacles à notre dessein, et nous recherchons plutôt toutes les aides grâce auxquelles nous retenions attentive notre pensée, comme on le montrera dans les < propositions > suivantes. Mais pour qu'il paraisse encore plus évidemment, que cet art de discourir n'apporte absolument rien pour connaître la vérité, il faut remarquer que les Dialecticiens ne peuvent construire selon < les règles de > l'art aucun syllogisme, qui conclue au vrai, s'ils n'en ont d'abord la matière, c'est-à-dire s'ils n'ont connu auparavant cette même vérité, qu'ils déduisent dans le syllogisme. D'où il paraît qu'eux-mêmes n'aperçoivent rien de nouveau par une telle forme, et qu'ainsi la Dialectique commune est absolument sans utilité pour ceux qui désirent rechercher la vérité des choses, mais peut seulement servir cependant à exposer plus aisément à d'autres des raisons déjà connues, et que pour ce motif il faut la transporter de la Philosophie à la Rhétorique.

Règles pour la direction de l'esprit, X, p. 36-37.

B. *Utilité de la logique traditionnelle*

Ce n'est pourtant pas que nous condamnions cette manière de philosopher, dont l'invention est en usage jusqu'à ce jour, ni les machineries des syllogismes probables si bien faites pour disputer qu'on enseigne dans les écoles : car elles exercent, et éveillent par une certaine émulation les jeunes esprits, qu'il convient bien mieux de former par des opinions de cette sorte, bien qu'apparaisse leur incertitude, puisque les savants en débattent entre eux, que de les laisser libres et abandonnés à eux-mêmes. Ils risqueraient en effet sans guide de marcher à la fin vers des précipices ; mais tant qu'ils restent dans les traces de leurs maîtres, quoiqu'ils se détournent parfois du vrai, sans doute n'en prennent-ils pas moins un chemin plus assuré en ce que du moins de plus prudents l'ont déjà essayé.

Règles pour la direction de l'esprit, II, p. 4-5.

13. Précipitation et prévention

Comme nous avons été enfants avant que d'être hommes, et que nous avons jugé tantôt bien et tantôt mal, des choses qui se sont présentées à nos sens lorsque nous n'avions pas encore l'usage entier de notre raison, plusieurs jugements ainsi précipités nous empêchent de parvenir à la connaissance de la vérité, et nous préviennent de telle sorte qu'il n'y a point d'apparence que nous en puissions nous en délivrer, si nous n'entreprenons de douter une fois en notre vie de toutes les choses où nous trouverons le moindre soupçon d'incertitude.

Principes de la philosophie, I, 1, AT IX-2, p. 25.

Que la première et principale cause de nos erreurs sont les préjugés de notre enfance.

C'est ainsi que nous avons reçu la plupart de nos erreurs. À savoir, pendant les premières années de notre vie, que notre âme était si étroitement liée au corps, qu'elle ne s'appliquait à autre chose qu'à ce qui causait en lui quelques impressions, elle ne considérait pas encore si ces impressions étaient causées par des choses qui existassent hors de soi, mais seulement elle sentait de la douleur lorsque le corps en était offensé, ou du plaisir lorsqu'il en recevait de l'utilité, ou bien, si elles étaient si légères que le corps n'en reçût point de commodité, ni aussi d'incommodité qui fût importante à sa conservation, elle avait des sentiments tels que sont ceux qu'on nomme goût, odeur, son, chaleur, froid, lumière, couleur et autres semblables, qui véritablement ne nous représentent rien qui existe hors de notre pensée, mais qui sont divers selon les diversités qui se rencontrent dans les mouvements qui passent de tous les endroits de notre corps jusques à l'endroit du cerveau auquel elle est étroitement jointe et unie. Elle apercevait aussi des grandeurs, des figures et des mouvements qu'elle ne prenait pas pour des sentiments, mais pour des choses ou des propriétés de certaines choses qui lui semblaient exister ou du moins pouvoir exister hors de soi, bien qu'elle n'y remarquât pas encore cette différence. Mais lorsque nous avons été quelque peu plus avancés en âge et que notre corps, se tournant fortuitement de part et d'autre par la disposition de ses organes, a rencontré des choses utiles ou en a évité de nuisibles, l'âme, qui lui était étroitement unie, faisant réflexion sur les choses qu'il rencontrait ou évitait, a remarqué premièrement qu'elles existaient au-dehors, et ne leur a pas attribué seulement les grandeurs, les figures, les mouvements et les autres propriétés qui appartiennent véritablement au corps, et qu'elle concevait fort bien ou comme des choses ou comme des dépendances de quelques choses, mais encore les couleurs, les odeurs, et toutes les autres idées de ce genre qu'elle apercevait aussi à leur occasion ; et comme elle était si fort offusquée du corps qu'elle ne considérait les autres choses qu'autant qu'elles servaient à son usage, elle jugeait qu'il y avait plus ou moins de réalité en chaque objet, selon que les impressions qu'il causait lui semblaient plus ou moins fortes. De là vient qu'elle a cru qu'il y avait beaucoup plus de substance ou de corps dans les pierres et dans les métaux que dans l'air ou dans l'eau, parce qu'elle y sentait plus de dureté et de pesanteur ; et qu'elle n'a considéré l'air non plus que rien lorsqu'il n'était agité d'aucun vent, et qu'il ne lui semblait ni chaud ni froid. Et parce que les étoiles ne lui faisaient guère plus sentir de lumière que des chandelles allumées, elle n'imaginait pas que chaque étoile fût plus grande que la flamme qui paraît au bout d'une chandelle qui brûle. Et parce qu'elle ne considérait pas encore si la terre peut tourner sur son essieu, et si sa superficie est courbée comme celle d'une boule, elle a jugé d'abord qu'elle est immobile, et que sa superficie est plate. Et nous avons été par ce moyen si fort prévenus de mille autres préjugés que lors même que nous étions capables de bien user de notre raison, nous les avons reçus en notre créance ; et au lieu de penser que nous avions fait ces jugements en un temps que nous n'étions pas capables de bien juger, et par conséquent qu'ils pouvaient être plutôt faux que vrais, nous les avons reçus pour aussi certains que si nous en avions eu une connaissance distincte par l'entremise de nos sens, et n'en avons non plus douté que s'ils eussent été des notions communes.

Principes de la philosophie, I, 71, AT IX-2, p. 58-59.

Que la seconde est que nous ne pouvons oublier ces préjugés.

Enfin, lorsque nous avons atteint l'usage entier de notre raison, et que notre âme, n'étant plus si sujette au corps, tâche à bien juger des choses, et à connaître leur nature, bien que nous ne remarquions que les jugements que nous avons faits lorsque nous étions enfants sont pleins d'erreurs, nous avons assez de peine à nous en délivrer entièrement, et néanmoins il est certain que si nous manquons à nous souvenir qu'ils sont douteux, nous sommes toujours en danger de retomber en quelque fausse prévention. Cela est tellement vrai qu'à cause que dès notre enfance, nous avons imaginé, par exemple, les étoiles fort petites, nous ne saurions nous défaire encore de cette imagination, bien que nous connaissions par les raisons de l'astronomie qu'elles sont très grandes : tant a de pouvoir sur nous une opinion déjà reçue.

Principes de la philosophie, I, 72, AT IX-2, p. 59-60.

14. Clarté et distinction

La connaissance sur laquelle on peut établir un jugement indubitable doit être non seulement claire, mais aussi distincte. J'appelle claire celle qui est présente et manifeste à un esprit attentif ; de même que nous disons voir clairement les objets lorsque, étant présents ils agissent assez fort, et que nos yeux sont disposés à les regarder ; et distincte, celle qui est tellement précise et différente de toutes les autres, qu'elle ne comprend en soi que ce qui paraît manifestement à celui qui la considère comme il faut.

Principes de la philosophie, I, 45, AT IX-2, p. 44.

15. L'ERREUR

D'où est-ce donc que naissent mes erreurs ? C'est à savoir de cela seul que, la volonté étant beaucoup plus ample et plus étendue que l'entendement, je ne la contiens pas dans les mêmes limites, mais que je l'étends aussi aux choses que je n'entends pas ; auxquelles, étant de soi indifférente, elle s'égare fort aisément, et choisit le mal pour le bien, ou le faux pour le vrai. Ce qui fait que je me trompe et que je pèche.

Par exemple, examinant ces jours passés si quelque chose existait dans le monde, et connaissant que, de cela seul que j'examinais cette question, il suivait très évidemment que j'existais moi-même, je ne pouvais pas m'empêcher de juger qu'une chose que je concevais si clairement était vraie, non que je m'y trouvasse forcé par aucune cause extérieure, mais seulement parce que, d'une grande clarté qui était en mon entendement, a suivi une grande inclination en ma volonté ; et que je me suis porté à croire avec d'autant plus de liberté que je me suis trouvé avec moins d'indifférence. Au contraire, à présent je ne connais pas seulement que j'existe, en tant que je suis quelque chose qui pense, mais il se présente aussi à mon esprit une certaine idée de la nature corporelle, ce qui fait que je doute si cette nature qui pense, qui est en moi, ou plutôt par laquelle je suis ce que je suis, est différente de cette nature corporelle, ou bien si toutes deux ne sont qu'une même chose. Et je suppose ici que je ne connais encore aucune raison, qui me persuade plutôt l'un que l'autre : d'où il suit que je suis entièrement indifférent à le nier, ou à l'assurer, ou bien même à m'abstenir d'en donner aucun jugement.

Et cette indifférence ne s'étend pas seulement aux choses dont l'entendement n'a aucune connaissance, mais généralement aussi à toutes celles qu'il ne découvre pas avec une parfaite clarté, au moment que la volonté en délibère ; car, pour probables que soient les conjectures qui me rendent enclin à juger quelque chose, la seule connaissance que j'ai que ce ne sont que des conjectures, et non des raisons certaines et indubitables, suffit pour me donner occasion de juger le contraire. Ce que j'ai suffisamment expérimenté ces jours passés, lorsque j'ai posé pour faux tout ce que j'avais tenu auparavant pour très véritable, pour cela seul que j'ai remarqué que l'on pouvait en douter en quelque sorte.

Or, si je m'abstiens de donner mon jugement sur une chose, lorsque je ne la conçois pas avec assez de clarté et de distinction, il est évident que j'en use fort bien, et que je ne suis point trompé ; mais si je me détermine à la nier, ou assurer, alors je ne me sers plus comme je dois de mon libre arbitre ; et si j'assure ce qui n'est pas vrai, il est évident que je me trompe ; même aussi, encore que je juge selon la vérité, cela n'arrive que par hasard, et je ne laisse pas de faillir, et d'user mal de mon libre arbitre ; car la lumière naturelle nous enseigne que la connaissance de l'entendement doit toujours précéder la détermination de la volonté. Et c'est dans ce mauvais usage de l'entendement, que se rencontre la privation qui constitue la forme de l'erreur.

Méditation IV, AT IX-1, p. 46-48.

16. LA CRITIQUE DES FORMES SUBSTANTIELLES

Les premiers jugements que nous avons faits dès notre enfance, et depuis aussi la Philosophie vulgaire, nous ont accoutumés à attribuer au corps plusieurs choses qui n'appartiennent qu'à l'âme, et d'attribuer à l'âme plusieurs choses qui n'appartiennent qu'au corps ; et [...] ils mêlent ordinairement ces deux idées du corps et de l'âme en la composition des idées qu'ils forment des qualités réelles et des formes substantielles, que je crois devoir être entièrement rejetée.

Lettre à de Launay du 22 juillet 1641,
AT III, p. 420.

La principale raison qui me fait rejeter ces qualités réelles est que je ne vois pas que l'esprit humain ait en soi aucune notion ou idée particulière, pour les concevoir ; de façon qu'en les nommant, et en assurant qu'il y en a, on assure une chose qu'on ne conçoit pas, et on ne s'entend pas soi-même. La seconde raison est que les philosophes n'ont supposé ces qualités réelles qu'à cause qu'ils ont cru ne pouvoir expliquer autrement tous les phénomènes de la nature ; et moi je trouve, au contraire, qu'on peut bien mieux les expliquer sans elles.

Lettre à Mersenne du 26 avril 1643,
AT III, p. 649.

17. La critique de la connaissance sensible

Me proposant de traiter ici de la lumière, la première chose dont je veux vous avertir est qu'il peut y avoir de la différence entre le sentiment que nous en avons, c'est-à-dire l'idée qui s'en forme en notre imagination par l'entremise de nos yeux, et ce qui est dans les objets qui produit en nous ce sentiment, c'est-à-dire ce qui est dans la flamme ou dans le Soleil, qui s'appelle du nom de Lumière. Car encore que chacun se persuade communément que les idées que nous avons en notre pensée sont entièrement semblables aux objets dont elles procèdent, je ne vois point toutefois de raison qui nous assure que cela soit ; mais je remarque, au contraire, plusieurs expériences qui nous en doivent faire douter.

Vous savez bien que les paroles, n'ayant aucune ressemblance avec les choses qu'elles signifient, ne laissent pas de nous les faire concevoir, et souvent même sans que nous prenions garde au son des mots, ni à leurs syllabes ; en sorte qu'il peut arriver qu'après avoir ouï un discours, dont nous aurons fort bien compris le sens, nous ne pourrons pas dire en quelle langue il aura été prononcé. Or, si des mots, qui ne signifient rien que par l'institution des hommes, suffisent pour nous faire concevoir des choses avec lesquelles ils n'ont aucune ressemblance, pourquoi la Nature ne pourra-t-elle pas aussi avoir établi certain signe, qui nous fasse avoir le sentiment de la lumière, bien que ce signe n'ait en soi rien qui soit semblable à ce sentiment. Et n'est-ce pas ainsi qu'elle a établi les ris et les larmes, pour nous faire lire la joie et la tristesse sur le visage des hommes ?

Mais vous direz, peut-être, que nos oreilles ne nous font véritablement sentir que le son des paroles, ni nos yeux que la contenance de celui qui rit ou qui pleure, et que c'est notre esprit qui, ayant retenu ce que signifient cette parole et cette contenance, nous le représente en même temps. À cela je pourrais répondre que c'est notre esprit tout de même qui nous représente l'idée de la lumière, toutes les fois que l'action qui la signifie touche notre œil. Mais sans perdre le temps à disputer, j'aurai plus tôt fait d'apporter un autre exemple.

Pensez-vous, lors même que nous ne prenons pas garde à la signification des paroles, et que nous oyons seulement leur son, que l'idée de ce son, qui se forme en notre pensée, soit quelque chose de semblable à l'objet qui en est la cause ? Un homme ouvre la bouche, remue la langue, pousse son haleine ; je ne vois rien, en toutes ces actions, qui ne soit fort différent de l'idée du son, qu'elles nous font imaginer. Et la plupart des Philosophes assurent que le son n'est autre chose qu'un certain tremblement d'air, qui vient frapper nos oreilles, en sorte que, si le sens de l'ouïe rapportait à notre pensée la vraie image de son objet, il faudrait, au lieu de nous faire concevoir le son, qu'il nous fît concevoir le mouvement des parties de l'air qui tremble pour lors contre nos oreilles. Mais, parce que tout le monde ne voudra peut-être pas croire ce que disent les Philosophes, j'apporterai encore un autre exemple.

L'attouchement est celui de nos sens que l'on estime le moins trompeur et le plus assuré ; de sorte que, si je vous montre que l'attouchement même nous fait concevoir plusieurs idées, qui ne ressemblent en aucune façon aux objets qui les produisent, je ne pense pas que vous deviez trouver étrange, si je dis que la vue peut faire le semblable. Or il n'y a personne qui ne sache que les idées du chatouillement et de la douleur, qui se forment en notre pensée à l'occasion des corps de dehors qui nous touchent, n'ont aucune ressemblance avec eux. On passe doucement une plume sur les lèvres d'un enfant qui s'endort, et il sent qu'on le chatouille, pensez-vous que l'idée du chatouillement, qu'il conçoit, ressemble à quelque chose de ce qui est en cette plume ? Un gendarme revient d'une mêlée : pendant la chaleur du combat, il aurait pu être blessé sans s'en apercevoir ; mais maintenant qu'il commence à se refroidir, il sent de la douleur, il croit être blessé : on appelle un chirurgien, on ôte ses armes, on le visite, et on trouve enfin que ce qu'il sentait n'était autre chose qu'une boucle ou une courroie qui, s'étant engagée sous ses armes, le pressait et l'incommodait. Si son attouchement, en lui faisant sentir cette courroie, en eût imprimé l'image en sa pensée, il n'aurait pas eu besoin d'un chirurgien pour l'avertir de ce qu'il sentait.

Or je ne vois point de raison qui nous oblige à croire que ce qui est dans les objets, d'où nous vient le sentiment de la lumière, soit plus semblable à ce sentiment que les actions d'une plume et d'une courroie le sont au chatouillement et à la douleur. Et toutefois, je n'ai point apporté ces exemples pour vous faire croire absolument que cette lumière est autre dans les objets que dans nos yeux ; mais seulement afin que vous en doutiez, et que, vous gardant d'être préoccupé du contraire, vous puissiez maintenant mieux examiner avec moi ce qui en est.

Le Monde, chap. I : De la différence qui est entre nos sentiments et les choses qui les produisent, AT XI, p. 3-6.

II. La morale

1. Sur la morale par provision

A. *La résolution de suivre le probable*

Il est vrai que, si j'avais dit absolument qu'il faut se tenir aux opinions qu'on a une fois déterminé de suivre, encore qu'elles fussent douteuses, je ne serais pas moins répréhensible que si j'avais dit qu'il faut être opiniâtre et obstiné ; à cause que se tenir à une opinion, c'est le même que de persévérer dans le jugement qu'on en a fait. Mais j'ai dit tout autre chose, à savoir, qu'il faut être résolu en ses actions lors même qu'on demeure irrésolu en ses jugements, et ne suivre pas moins constamment les opinions les plus douteuses, c'est-à-dire n'agir pas moins constamment suivant les opinions qu'on juge douteuses, lorsqu'on s'y est une fois déterminé, c'est-à-dire lorsqu'on a considéré qu'il n'y en a point d'autres qu'on juge meilleures ou plus certaines, que si on connaissait que celles-là fussent les meilleures ; comme en effet elles le sont sous cette condition. Et il n'est pas à craindre que cette fermeté en l'action nous engage de plus en plus dans l'erreur ou le vice, d'autant que l'erreur ne peut être que dans l'entendement, lequel je suppose, nonobstant cela, demeurer libre et considérer comme douteux ce qui est douteux. Outre que je rapporte principalement cette règle aux actions de la vie qui ne souffrent aucun délai, et que je ne m'en sers que par provision, avec dessein de changer mes opinions, sitôt que j'en pourrai trouver de meilleures, et de ne perdre aucune occasion d'en chercher. Au reste j'ai été obligé de parler de cette résolution et fermeté touchant les actions, tant à cause qu'elle est nécessaire pour le repos de la conscience, que pour empêcher qu'on ne me blâmât de ce que j'avais écrit que, pour éviter la prévention, il faut une fois en sa vie se défaire de toutes les opinions qu'on a reçues auparavant en sa créance : car apparemment on m'eût objecté que ce doute si universel peut produire une grande irrésolution et un grand dérèglement dans les mœurs. De façon qu'il ne me semble pas avoir pu user de plus de circonspection que j'ai fait, pour placer la résolution, en tant qu'elle est une vertu, entre les deux vices qui lui sont contraires, à savoir, l'indétermination et l'obstination.

Lettre à Reneri pour Pollot,
avril ou mai 1638, AT II, p. 34-36.

B. *Les limites de notre pouvoir*

Il ne me semble point que ce soit une fiction, mais une vérité qui ne doit point être niée de personne qu'il n'y a rien qui soit entièrement en notre pouvoir que nos pensées ; au moins en prenant le mot de pensée comme je fais, pour toutes les opérations de l'âme, en sorte que non seulement les méditations et les volontés, mais même les fonctions de voir, d'ouïr, de se déterminer à un mouvement plutôt qu'à un autre, etc. ; et en tant qu'elles dépendent d'elle, sont des pensées. Et il n'y a rien du tout que les choses qui sont comprises sous ce mot, qu'on attribue proprement à l'homme en langue de philosophe : car pour les fonctions qui appartiennent au corps seul, on dit qu'elles se font dans l'homme, et non par l'homme. Outre que par le mot *entièrement*, et par ce qui suit, à savoir que, lorsque nous avons fait notre mieux touchant les choses extérieures, tout ce qui manque de nous réussir est au regard de nous *absolument* impossible ; je témoigne assez que je n'ai point voulu dire, pour cela, que les choses extérieures ne fussent point du tout en notre pouvoir, mais seulement qu'elles n'y sont qu'en tant qu'elles peuvent suivre de nos pensées, et non pas *absolument*, ni *entièrement*, à cause qu'il y a d'autres puissances hors de nous qui peuvent empêcher les effets de nos desseins. Même pour m'exprimer mieux, j'ai joint ensemble ces deux mots : *au regard de nous* et *absolument*, que les critiques pourraient reprendre comme se contredisant l'un à l'autre, n'était que l'intelligence du sens les accorde. Or nonobstant qu'il soit très vrai qu'aucune chose extérieure n'est en notre pouvoir, qu'en tant qu'elle dépend de la direction de notre âme, et que rien n'y est absolument que nos pensées ; et qu'il n'y ait, ce me semble, personne qui puisse faire difficulté de l'accorder, lorsqu'il y pensera expressément ; j'ai dit néanmoins qu'il faut s'accoutumer à le croire, et même qu'il est besoin à cet effet d'un long exercice, et d'une méditation souvent réitérée ; dont la raison est que nos appétits et nos passions nous dictent continuellement le contraire ; et que nous avons tant de fois éprouvé dès notre enfance, qu'en pleurant ou commandant, etc., nous nous sommes fait obéir par nos nourrices, et avons obtenu les choses que nous désirions, que nous nous sommes insensiblement persuadés que le monde n'était fait que pour nous et que toutes choses nous étaient dues. En quoi ceux qui sont nés grands et heureux, ont le plus d'occasion de se tromper ; et l'on voit aussi que ce sont ordinairement eux qui supportent le plus impatiemment les disgrâces de la fortune. Mais il n'y a point, ce me semble, de plus digne occupation pour un philosophe, que de s'accoutumer à croire ce que lui dicte la vraie raison et à se garder des fausses opinions que ses appétits naturels lui persuadent.

Lettre à Reneri pour Pollot,
avril ou mai 1638, AT II, p. 36-37.

Je n'ai jamais dit que toutes nos pensées fussent en notre pouvoir, mais seulement que, s'il y a quelque chose absolument en notre pouvoir, ce sont nos pensées, à savoir celles qui viennent de la volonté et du libre arbitre [...] et ce qui m'a fait écrire cela, n'a été que pour faire entendre que la juridiction de notre libre arbitre n'était point absolue sur aucune chose corporelle.

Lettre à Mersenne du 3 décembre 1640,
AT III, p. 249.

2. La morale fondée sur la nouvelle philosophie

A. *La reformulation de la morale par provision*

… il me semble qu'un chacun se peut rendre content de soi-même et sans rien attendre d'ailleurs pourvu seulement qu'il observe trois choses, auxquelles se rapportent les trois règles de morale que j'ai mises dans le *Discours de la Méthode.*

La première est qu'il tâche toujours de se servir, le mieux qu'il lui est possible, de son esprit, pour connaître ce qu'il doit faire ou ne pas faire en toutes les occurrences de la vie.

La seconde, qu'il ait une ferme et constante résolution d'exécuter tout ce que la raison lui conseillera, sans que ses passions ou ses appétits l'en détournent ; et c'est la fermeté de cette résolution, que je crois devoir être prise pour la vertu, bien que je ne sache point que personne l'ait jamais ainsi expliquée ; mais on l'a divisée en plusieurs espèces, auxquelles on a donné divers noms, à cause des divers objets auxquels elle s'étend.

La troisième, qu'il considère que, pendant qu'il se conduit ainsi, autant qu'il peut, selon la raison, tous les biens qu'il ne possède point sont aussi entièrement hors de son pouvoir les uns que les autres, et que, par ce moyen, il s'accoutume à ne les point désirer ; car il n'y a rien que le désir, et le regret ou le repentir, qui nous puissent empêcher d'être contents : mais si nous faisons toujours tout ce que nous dicte notre raison, nous n'aurons jamais aucun sujet de nous repentir, encore que les événements nous fissent voir, par après, que nous nous sommes trompés, parce que ce n'est point par notre faute. Et ce qui fait que nous ne désirons point d'avoir par exemple, plus de bras ou plus de langues, que nous n'en avons, mais que nous désirons bien d'avoir plus de santé ou plus de richesses, c'est seulement que nous imaginons que ces choses ici pourraient être acquises par notre conduite, ou bien qu'elles sont dues à notre nature, et que ce n'est pas le même des autres : de laquelle opinion nous pourrons nous dépouiller, en considérant que, puisque nous avons toujours suivi le conseil de notre raison, nous n'avons rien omis de ce qui était en notre pouvoir, et que les maladies et les infortunes ne sont pas moins naturelles à l'homme, que les prospérités et la santé.

Lettre à Elisabeth du 4 août 1645,
AT IV, p. 265-266.

B. *La morale et les principes de la philosophie*

Il ne peut, ce me semble, y avoir que deux choses qui soient requises pour être toujours disposé à bien juger : l'une est la connaissance de la vérité, et l'autre l'habitude qui fait qu'on se souvient et qu'on acquiesce à cette connaissance, toutes les fois que l'occasion le requiert. Mais, pource qu'il n'y a que Dieu seul qui sache parfaitement toutes choses, il est besoin que nous nous contentions de savoir celles qui sont le plus à notre usage.

Entre lesquelles la première et principale est qu'il y a un Dieu, de qui toutes choses dépendent, dont les perfections sont infinies, dont le pouvoir est immense, dont les décrets sont infaillibles : car cela nous apprend à recevoir en bonne part toutes les choses qui nous arrivent, comme nous étant expressément envoyées de Dieu ; et pource que le vrai objet de l'amour est la perfection, lorsque nous élevons notre esprit à le considérer tel qu'il est, nous nous trouvons naturellement si enclins à l'aimer, que nous tirons même de la joie de nos afflictions, en pensant que sa volonté s'exécute en ce que nous les recevons.

La seconde chose, qu'il faut connaître, est la nature de notre âme, en tant qu'elle subsiste sans le corps, et est beaucoup plus noble que lui, et capable de jouir d'une infinité de contentements qui ne se trouvent point en cette vie : car cela nous empêche de craindre la mort, et détache tellement notre affection des choses du monde, que nous ne regardons qu'avec mépris tout ce qui est au pouvoir de la fortune.

À quoi peut aussi beaucoup servir qu'on juge dignement des œuvres de Dieu, et qu'on ait cette vaste idée de l'étendue de l'univers, que j'ai tâché de faire concevoir au 3e livre de mes Principes : car si on s'imagine qu'au-delà des cieux, il n'y a rien que des espaces imaginaires, et que tous ces cieux ne sont faits que pour le service de la terre, ni la terre que pour l'homme, cela fait qu'on est enclin à penser que cette terre est notre principale demeure, et cette vie notre meilleure ; et qu'au lieu de connaître les perfections qui sont véritablement en nous, on attribue aux autres créatures des imperfections qu'elles n'ont pas, pour s'élever au-dessus d'elles, et entrant en une présomption impertinente, on veut être du conseil de Dieu, et prendre avec lui la charge de conduire le monde, ce qui cause une infinité de vaines inquiétudes et fâcheries.

Après qu'on a ainsi reconnu la bonté de Dieu, l'immortalité de nos âmes et la grandeur de l'univers, il y a encore une vérité dont la connaissance me semble fort utile : qui est que, bien que chacun de nous soit une personne séparée des autres, et dont, par conséquent, les intérêts sont en quelque façon distincts de ceux du reste du monde, on doit toutefois penser qu'on ne saurait subsister seul, et qu'on est, en effet, une des parties de l'univers, et plus particulièrement encore l'une des parties de cette terre, l'une des parties de cet État, de cette société, de cette famille, à laquelle on est joint par sa demeure, par son serment, par sa naissance. Et il faut toujours préférer les intérêts du tout dont on est partie, à ceux de sa personne en particulier ; toutefois avec mesure et discrétion, car on aurait tort de s'exposer à un grand mal, pour procurer seulement un petit bien à ses parents ou à son pays ; et si un homme vaut plus, lui seul, que tout le reste de sa ville, il n'aurait pas raison de se vouloir perdre pour la sauver. Mais si on rapportait tout à soi-même, on ne craindrait pas de nuire beaucoup aux autres hommes, lorsqu'on croirait en retirer quelque petite commodité, et on n'aurait aucune vraie amitié, ni aucune fidélité, ni généralement aucune vertu ; au lieu qu'en se considérant comme une partie du public, on prend plaisir à faire du bien à tout le monde, et même on ne craint pas d'exposer sa vie pour le service d'autrui, lorsque l'occasion s'en présente, voire on voudrait perdre son âme, s'il se pouvait, pour sauver les autres.

Lettre à Elisabeth du 15 septembre 1645,
AT IV, p. 291-293.

III. La métaphysique

1. LE DOUTE ET LES DÉFAUTS DU *DISCOURS*

Pour votre seconde objection, à savoir que je n'ai pas expliqué assez au long, d'où je connais que l'âme est une substance distincte du corps, dont la nature n'est que de penser, qui est la seule chose qui rend obscure la démonstration touchant l'existence de Dieu, j'avoue que ce que vous en écrivez est très vrai, et aussi que cela rend ma démonstration touchant l'existence de Dieu malaisée à entendre. Mais je ne pouvais mieux traiter cette matière qu'en expliquant amplement la fausseté ou l'incertitude qui se trouve en tous les jugements qui dépendent du sens ou de l'imagination, afin de montrer ensuite quels sont ceux qui ne dépendent que de l'entendement pur, et combien ils sont évidents et certains. Ce que j'ai omis tout à dessein et par considération, et principalement à cause que j'ai écrit en langue vulgaire, de peur que les esprits faibles venant à embrasser d'abord avidement les doutes et scrupules qu'il m'eût fallu proposer, ne pussent après comprendre en même façon les raisons par lesquelles j'eusse tâché de les ôter, et ainsi que je les eusse engagés dans un mauvais pas, sans peut-être les en tirer.

Lettre à Mersenne du 27 février 1637 (?),
AT I, p. 349-350.

Il est vrai que j'ai été trop obscur en ce que j'ai écrit de l'existence de Dieu dans ce traité de la Méthode, et bien que ce soit la pièce la plus importante, j'avoue que c'est la moins élaborée de tout l'ouvrage ; ce qui vient en partie de ce que je ne me suis résolu de l'y joindre que sur la fin, et lorsque le libraire me pressait. Mais la principale cause de son obscurité vient de ce que je n'ai osé m'étendre sur les raisons des sceptiques, ni dire toutes les choses qui sont nécessaires *ad abducendam mentem a sensibus* : car il n'est pas possible de bien connaître la certitude et l'évidence des raisons qui prouvent l'existence de Dieu selon ma façon, qu'en se souvenant distinctement de celles qui nous font remarquer de l'incertitude en toutes les connaissances que nous avons des choses matérielles, et ces pensées ne m'ont pas semblé être propres à mettre dans un livre, où j'ai voulu que les femmes mêmes pussent entendre quelque chose, et cependant que les plus subtils trouvassent aussi assez de matière pour occuper leur attention. J'avoue aussi que cette obscurité vient en partie, comme vous avez fort bien remarqué, de ce que j'ai supposé que certaines notions, que l'habitude de penser m'a rendue familières et évidentes, le devaient être aussi à un chacun ; comme par exemple, que nos idées ne pouvant recevoir leurs formes ni leur être que de quelques objets extérieurs, ou de nous-mêmes, ne peuvent représenter aucune réalité ou perfection, qui ne soit en ces objets, ou bien en nous, et semblables ; sur quoi je me suis proposé de donner quelque éclaircissement dans une seconde impression.

Lettre à Vatier du 22 février 1638,
AT I, p. 560-561.

2. LE *COGITO*

Quand nous apercevons que nous sommes des choses qui pensent, c'est une première notion qui n'est tirée d'aucun syllogisme ; et lorsque quelqu'un dit : *Je pense donc je suis ou j'existe*, il ne conclut pas son existence de sa pensée comme par la force de quelque syllogisme, mais comme une chose connue de soi ; il la voit par une simple inspection de l'esprit. Comme il paraît que, s'il la déduisait par le syllogisme, il aurait dû auparavant connaître cette majeure : *Tout ce qui pense, est ou existe.* Mais, au contraire, elle lui est enseignée de ce qu'il sent en lui-même qu'il ne se peut pas faire qu'il pense s'il n'existe. Car c'est le propre de notre esprit, de former les propositions générales de la connaissance des particulières.

Réponses aux secondes objections,
AT IX-1, p. 110-111.

Cet auteur suppose que la connaissance des propositions particulières doit toujours être déduite des universelles, suivant l'ordre des syllogismes de la dialectique ; en quoi il montre savoir bien peu de quelle façon la vérité se doit chercher ; car il est certain que pour la trouver on doit toujours commencer par les notions particulières, pour venir après aux générales, bien qu'on puisse aussi, réciproquement, ayant trouvé les générales, en déduire d'autres particulières.

Lettre à Clerselier sur les instances de Gassendi,
AT IX-1, p. 205-206.

3. La substance

Toute chose dans laquelle réside immédiatement, comme dans son sujet, ou par laquelle existe quelque chose que nous concevons, c'est-à-dire quelque propriété, qualité, ou attribut, dont nous avons en nous une réelle idée s'appelle Substance. Car nous n'avons point d'autre idée de la substance précisément prise, sinon qu'elle est une chose dans laquelle existe formellement, ou éminemment, ce que nous concevons, ou ce qui est objectivement dans quelqu'une de nos idées, d'autant que la lumière naturelle nous enseigne que le néant ne peut avoir aucun attribut réel.

Réponses aux secondes objections, Abrégé géométrique,
définition V, AT IX-1, p. 125.

La notion que nous avons ainsi de la substance créée se rapporte en même façon à toutes, c'est-à-dire à celles qui sont immatérielles comme à celles qui sont matérielles ou corporelles ; car il faut seulement, pour entendre que ce sont des substances, que nous apercevions qu'elles peuvent exister sans l'aide d'aucune chose créée. Mais lorsqu'il est question de savoir si quelqu'une de ces substances existe véritablement, c'est-à-dire si elle est à présent dans le monde, ce n'est pas assez qu'elle existe en cette façon pour faire que nous l'apercevions : car cela seul ne nous découvre rien qui excite quelque connaissance particulière en notre pensée ; il faut outre cela qu'elle ait quelques attributs que nous puissions remarquer ; et il n'y en a aucun qui ne suffise pour cet effet, à cause que l'une de nos notions communes est que le néant ne peut avoir aucun attribut, ni propriétés ou qualités : c'est pourquoi lorsqu'on en rencontre quelqu'un, on a raison de conclure qu'il est l'attribut de quelque substance et que cette substance existe.

Principes de la philosophie, I, 53, AT IX-2, p. 48.

4. Connaissance de l'âme et connaissance du corps

Mais enfin que dirai-je de cet esprit, c'est-à-dire de moi-même ? Car jusques ici je n'admets en moi autre chose qu'un esprit. Que prononcerai-je, dis-je, de moi qui semble concevoir avec tant de netteté et de distinction ce morceau de cire, ne me connais-je pas moi-même, non seulement avec bien plus de vérité et de certitude, mais encore avec beaucoup plus de distinction et de netteté ? Car si je juge que la cire est, ou existe, de ce que je la vois, certes il suit bien plus évidemment que je suis, ou que j'existe moi-même, de ce que je la vois. Car il se peut faire que ce que je vois ne soit pas, en effet, de la cire ; il peut aussi arriver que je n'aie pas même des yeux pour voir aucune chose ; mais il ne se peut pas faire que lorsque je vois, ou (ce que je ne distingue plus) lorsque je pense voir, que moi, qui pense, ne sois quelque chose. De même, si je juge que la cire existe, de ce que je la touche, il s'ensuivra encore la même chose, à savoir que je suis ; et si je le juge de ce que mon imagination me le persuade, ou de quelque autre cause que ce soit, je conclurai toujours la même chose. Et ce que j'ai remarqué ici de la cire, se peut appliquer à toutes les autres choses qui me sont extérieures, et qui se rencontrent hors de moi.

Or si la notion ou la connaissance de la cire semble être plus nette et plus distincte, après qu'elle a été découverte non seulement par la vue ou par l'attouchement, mais encore par beaucoup d'autres causes, avec combien plus d'évidence et de netteté, me dois-je connaître moi-même, puisque toutes les raisons qui servent à connaître et concevoir la nature de la cire, ou de quelque autre corps, prouvent beaucoup plus facilement et plus évidemment la nature de mon esprit.

Méditation II, AT IX-2, p. 25-26.

Il n'y a point de chose dont on connaisse tant d'attributs que de notre esprit, parce que autant qu'on en connaît dans les autres choses, on en peut autant compter dans l'esprit de ce qu'il les connaît ; et partant sa nature est plus connue que celle d'aucune autre chose.

Réponses aux cinquièmes objections,
éd. Alquié, II, p. 802.

5. Du *Discours* aux *Méditations*

A. *Les défauts de la métaphysique du* Discours *selon les* Méditations

J'ai déjà touché ces deux questions de Dieu et de l'âme humaine dans le Discours français que je mis en lumière, en l'année 1637, touchant la méthode pour bien conduire sa raison et chercher la vérité dans les sciences ; non pas à dessein d'en traiter alors à fond, mais seulement comme en passant, afin d'apprendre par le jugement qu'on en ferait de quelle sorte j'en devrais traiter par après : car elles m'ont toujours semblé être d'une telle importance, que je jugeais qu'il était à propos d'en parler plus d'une fois ; et le chemin que je tiens pour les expliquer est si peu battu et si éloigné de la route ordinaire, que je n'ai pas cru qu'il fût utile de la montrer en français, et dans un discours qui pût être lu de tout le monde, de peur que les faibles esprits ne crussent qu'il leur fût permis de tenter cette voie.

Or, ayant prié dans ce *Discours de la Méthode* tous ceux qui auraient trouvé dans mes écrits quelque chose de digne de censure de me faire la faveur de m'en avertir, on ne m'a rien objecté de remarquable que deux choses sur ce que j'avais dit touchant ces deux questions [...].

La première est qu'il ne s'ensuit pas de ce que l'esprit humain, faisant réflexion sur soi-même, ne se connaît être autre chose qu'une chose qui pense, que sa nature ou son essence ne soit seulement que de penser, en telle sorte que ce mot *seulement* exclue toute les autres choses qu'on pourrait peut-être aussi dire appartenir à la nature de l'âme [...].

La seconde est qu'il ne s'ensuit pas de ce que j'ai en moi l'idée d'une chose plus parfaite que je ne suis, que cette idée soit plus parfaite que moi, et beaucoup moins que ce qui est représenté dans cette idée existe.

Préface de l'auteur des *Méditations métaphysiques* au lecteur, éd. Alquié, II, p. 390-391.

B. *La preuve de l'existence de Dieu par la réalité objective de l'idée de Dieu*

Il se présente encore une autre voie pour rechercher si, entre les choses dont j'ai en moi les idées, il y en a quelques-unes qui existent hors de moi. À savoir, si ces idées sont prises en tant seulement que ce sont de certaines façons de penser, je ne reconnais entre elles aucune différence ou inégalité, et toutes semblent procéder de moi d'une même sorte ; mais les considérant comme des images, dont les unes représentent une chose et les autres une autre, il est évident qu'elles sont fort différentes les unes des autres. Car, en effet, celles qui me représentent des substances, sont sans doute quelque chose de plus, et contiennent en soi (pour ainsi parler) plus de réalité objective, c'est-à-dire participent par représentation à plus de degrés d'être ou de perfection, que celles qui me représentent seulement des modes ou accidents. De plus, celle par laquelle je conçois un Dieu souverain, éternel, infini, immuable, tout connaissant, tout-puissant, et Créateur universel de toutes choses qui sont hors de lui ; celle-là, dis-je, a certainement en soi plus de réalité objective, que celles par qui les substances finies me sont représentées.

Maintenant, c'est une chose manifeste par la lumière naturelle, qu'il doit y avoir pour le moins autant de réalité dans la cause efficiente et totale que dans son effet : car d'où est-ce que l'effet peut tirer sa réalité, sinon de sa cause ? et comment cette cause la lui pourrait-elle communiquer, si elle ne l'avait en elle-même ?

Et de là il suit, non seulement que le néant ne saurait produire aucune chose, mais aussi que ce qui est plus parfait, c'est-à-dire qui contient en soi plus de réalité, ne peut être une suite et une dépendance du moins parfait. Et cette vérité n'est pas seulement claire et évidente dans les effets qui ont cette réalité que les philosophes appellent actuelle ou formelle, mais aussi dans les idées où l'on considère seulement la réalité qu'ils nomment objective : par exemple, la pierre qui n'a point encore été, non seulement ne peut pas maintenant commencer d'être, si elle n'est produite par une chose qui possède en soi formellement, ou éminemment, tout ce qui entre en la composition de la pierre, c'est-à-dire qui contienne en soi les mêmes choses ou d'autres plus excellentes que celles qui sont dans la pierre [...] mais encore, outre cela, l'idée [...] de la pierre, ne peut pas être en moi, si elle n'y a été mise par quelque cause, qui contienne en soi pour le moins autant de réalité que j'en conçois [...] dans la pierre. Car encore que cette cause-là ne transmette en mon idée aucune chose de sa réalité actuelle ou formelle, on ne doit pas pour cela s'imaginer que cette cause doive être moins réelle : mais on doit savoir que toute idée étant un ouvrage de l'esprit, sa nature est telle qu'elle ne demande de soi aucune autre réalité formelle, que celle qu'elle reçoit et emprunte de la pensée ou de l'esprit, dont elle est seulement un mode, c'est-à-dire une manière ou façon de penser. Or, afin qu'une idée contienne une telle réalité objective plutôt qu'une autre, elle doit sans doute avoir cela de quelque cause, dans laquelle il se rencontre pour le moins autant de réalité formelle que cette idée contient de réalité objective. Car si nous supposons qu'il se trouve quelque chose dans l'idée, qui ne se rencontre pas dans sa cause, il faut donc qu'elle tienne cela du néant ; mais, pour imparfaite que soit cette façon d'être, par laquelle une chose est objectivement ou par représentation dans l'entendement par son idée, certes on ne peut pas dire que cette façon et manière-là ne soit rien, ni par conséquent que cette idée tire son origine du néant [...].

Il ne reste que la seule idée de Dieu dans laquelle il faut considérer s'il y a quelque chose qui n'ait pu venir de moi-même. Par le nom de Dieu j'entends une substance infinie, éternelle, immuable, indépendante, toute connaissante, toute-puissante, et par laquelle moi-même, et toutes les autres choses qui sont (s'il est vrai qu'il y en ait qui existent) ont été créées et produites. Or, ces avantages sont si grands et si éminents, que plus attentivement je les considère, et moins je me persuade que l'idée que j'en ai puisse tirer son origine de moi-même. Et par conséquent il faut nécessairement conclure de tout ce que j'ai dit auparavant que Dieu existe.

Méditation III, AT IX-1, p. 31-36.

C. *La preuve de l'existence de Dieu fondée sur la nature divine*

Or maintenant, si de cela seul que je puis tirer de ma pensée l'idée de quelque chose, il s'ensuit que tout ce que je reconnais clairement et distinctement appartenir à cette chose, lui appartient en effet, ne puis-je pas tirer de ceci un argument et une preuve démonstrative de l'existence de Dieu ? Il est certain que je ne trouve pas moins en moi son idée, c'est-à-dire l'idée d'un être souverainement parfait, que celle de quelque figure ou de quelque nombre que ce soit. Et je ne connais pas moins clairement et distinctement qu'une actuelle et éternelle existence appartient à sa nature, que je connais que tout ce que je puis démontrer de quelque figure ou de quelque nombre, appartient véritablement à la nature de cette figure ou de ce nombre. Et partant, encore que tout ce que j'ai conclu dans les Méditations précédentes ne se trouvât point véritable, l'existence de Dieu doit passer en mon esprit au moins pour aussi certaine, que j'ai estimé jusques ici toutes les vérités des mathématiques, qui ne regardent que les nombres et les figures.

Méditation V, AT IX-1, p. 52.

IV. La physique

1. La matière

Puisque nous prenons la liberté de feindre cette matière à notre fantaisie, attribuons-lui, s'il vous plaît, une nature en laquelle il n'y ait rien du tout que chacun ne puisse connaître aussi parfaitement qu'il est possible. Et pour cet effet, supposons expressément qu'elle n'a point la forme de la Terre, ni du Feu, ni de l'Air, ni aucune autre plus particulière comme du bois, d'une pierre ou d'un métal, non plus que les qualités d'être chaude ou froide, sèche ou humide, légère ou pesante, ou d'avoir quelque goût ou odeur ou son ou couleur ou lumière ou autre semblable, en la nature de laquelle on puisse dire qu'il y ait quelque chose qui ne soit pas évidemment connu de tout le monde.

Et ne pensons pas aussi d'autre côté qu'elle soit cette Matière première des Philosophes qu'on a si bien dépouillée de toutes ses formes et qualités qu'il n'y est rien demeuré de reste, qui puisse être clairement entendu. Mais concevons-la comme un vrai corps parfaitement solide qui remplit également toutes les longueurs, largeurs et profondeurs de ce grand espace au milieu duquel nous avons arrêté notre pensée ; en sorte que chacune de ses parties occupe toujours une partie de cet espace, tellement proportionnée à sa grandeur qu'elle n'en saurait remplir une plus grande ni se resserrer en une moindre, ni souffrir que, pendant qu'elle y demeure, quelque autre y trouve sa place.

Ajoutons à cela que cette matière peut être divisée en toutes les parties et selon toutes les figures que nous pouvons imaginer ; et que chacune de ses parties est capable de recevoir en soi tous les mouvements que nous pouvons aussi concevoir. Et supposons de plus que Dieu la divise véritablement en plusieurs telles parties, les unes plus grosses, les autres plus petites, les unes d'une figure, les autres d'une autre, telles qu'il nous plaira de les feindre. Non pas qu'il les sépare pour cela l'une de l'autre, en sorte qu'il y ait quelque vide entre deux : mais pensons que toute la distinction qu'il y met consiste dans la diversité des mouvements qu'il leur donne, faisant que dès le premier instant qu'elles sont créées, les unes commencent à se mouvoir d'un côté, les autres d'un autre ; les unes plus vite, les autres plus lentement (ou même, si vous voulez, point du tout) et qu'elles continuent par après leur mouvement suivant les lois ordinaires de la Nature. Car Dieu a si merveilleusement établi ces Lois qu'encore que nous supposions qu'il ne crée rien de plus que ce que j'ai dit et même qu'il ne mette en ceci aucun ordre ni proportion, mais qu'il en compose un chaos le plus confus et le plus embrouillé que les Poètes puissent décrire : elles sont suffisantes pour faire que les parties de ce chaos se démêlent d'elles-mêmes et se disposent en si bon ordre qu'elles auront la forme d'un Monde très parfait et dans lequel on pourra voir non seulement de la lumière, mais aussi toutes les autres choses, tant générales que particulières, qui paraissent dans ce vrai Monde.

Le Monde, chap. VI, AT XI, p. 33-35.

2. LES LOIS DE LA NATURE

A. *Les trois lois fondées sur l'immutabilité divine*

Sachez [...] premièrement, que par la Nature je n'entends point ici quelque Déesse, ou quelque autre sorte de puissance imaginaire, mais que je me sers de ce mot pour signifier la Matière même en tant que je la considère avec toutes les qualités que je lui ai attribuées comprises toutes ensemble, et sous cette condition que Dieu continue de la conserver en la même façon qu'il l'a créée. Car de cela seul qu'il continue ainsi de la conserver, il suit de nécessité qu'il doit y avoir plusieurs changements en ses parties, lesquels ne pouvant, ce me semble, être proprement attribués à l'action de Dieu, parce qu'elle ne change point, je les attribue à la Nature ; et les règles suivant lesquelles se font ces changements, je les nomme les lois de la Nature.

Pour mieux entendre ceci, souvenez-vous qu'entre les qualités de la matière nous avons supposé que ses parties avaient eu divers mouvements dès le commencement qu'elles ont été créées, et outre cela qu'elles s'entretouchaient toutes de tous côtés, sans qu'il y eût aucun vide entre deux. D'où il suit, de nécessité, que dès lors, en commençant à se mouvoir, elles ont commencé aussi à changer et diversifier leurs mouvements par la rencontre l'une de l'autre : et ainsi que, si Dieu les conserve par après en la même façon, qu'il les a créées, il ne les conserve pas au même état : c'est-à-dire que Dieu, agissant toujours de même, et par conséquent produisant toujours le même effet en substance, il se trouve, comme par accident, plusieurs diversités en cet effet. Et il est facile à croire que Dieu qui, comme chacun doit savoir, est immuable, agit toujours de même façon. Mais, sans m'engager plus avant dans ces considérations métaphysiques, je mettrai ici deux ou trois des principales règles, suivant lesquelles il faut penser que Dieu fait agir la Nature de ce nouveau Monde et qui suffiront, comme je crois, pour vous faire connaître toutes les autres.

La première est : Que chaque partie de la matière, en particulier, continue toujours d'être en un même état, pendant que la rencontre des autres ne la contraint point de le changer. C'est-à-dire que : si elle a quelque grosseur, elle ne deviendra jamais plus petite, sinon que les autres la divisent ; si elle est ronde ou carrée, elle ne changera jamais cette figure sans que les autres l'y contraignent ; si elle est arrêtée en quelque lieu, elle n'en partira jamais que les autres ne l'en chassent ; et si elle a une fois commencé à se mouvoir, elle continuera toujours avec une égale force, jusques à ce que les autres l'arrêtent ou la retardent [...].

Je suppose pour seconde Règle : Que, quand un corps en pousse un autre, il ne saurait lui donner aucun mouvement, qu'il n'en perde en même temps autant du sien ; ni lui en ôter, que le sien ne s'augmente d'autant. Cette Règle, jointe avec la précédente, se rapporte fort bien à toutes les expériences, dans lesquelles nous voyons qu'un corps commence ou cesse de se mouvoir, parce qu'il est poussé ou arrêté par quelque autre [...].

Mais encore que tout ce que nos sens ont jamais expérimenté dans le vrai Monde semblât manifestement être contraire à ce qui est contenu dans ces deux Règles, la raison qui me les a enseignées me semble si forte, que je ne laisserais pas de les supposer dans le nouveau que je vous décris. Car quel fondement plus ferme et plus solide pourrait-on trouver pour établir une vérité, encore qu'on le voulût choisir à souhait, que de prendre la fermeté même et l'immutabilité qui est en Dieu ?

Or est-il que ces deux Règles suivent manifestement de cela seul que Dieu est immuable, et qu'agissant toujours en même sorte, il produit toujours le même effet. Car, supposant qu'il a mis une certaine quantité des mouvements dans toute la matière en général, dès le premier instant qu'il l'a créée, il faut avouer qu'il y en conserve toujours autant, ou ne pas croire qu'il agisse toujours en même sorte. Et supposant avec cela que dès ce premier instant, les diverses parties de la matière, en qui ces mouvements se sont trouvés inégalement dispersés, ont commencé à les retenir, ou à les transférer de l'une à l'autre selon qu'elles en ont pu avoir la force, il faut nécessairement penser qu'il leur fait toujours continuer la même chose. Et c'est ce que contiennent ces deux Règles.

J'ajouterai pour la troisième : Que lorsqu'un corps se meut, encore que son mouvement se fasse le plus souvent en ligne courbe et qu'il ne s'en puisse jamais faire aucun, qui ne soit en quelque façon circulaire, ainsi qu'il a été dit ci-dessus, toutefois chacune de ses parties en particulier tend toujours à continuer le sien en ligne droite. Et ainsi leur action, c'est-à-dire l'inclination qu'elles ont à se mouvoir, est différente de leur mouvement.

Par exemple, si l'on fait tourner une roue sur son essieu, encore que toutes ses parties aillent en rond parce que étant jointes l'une à l'autre elles ne sauraient aller autrement, toutefois leur inclination est d'aller droit, ainsi qu'il paraît clairement si par hasard quelqu'une se détache des autres ; car aussitôt qu'elle est en liberté, son mouvement cesse d'être circulaire et se continue en ligne droite [...].

Cette Règle est appuyée sur le même fondement que les deux autres et ne dépend que de ce que Dieu conserve chaque chose par une action continue, et par conséquent qu'il ne la conserve point telle qu'elle peut avoir été quelque temps auparavant, mais précisément telle qu'elle est au même instant qu'il la conserve. Or est-il que de tous les mouvements, il n'y a que le droit qui soit entièrement simple et dont toute la nature soit comprise en un instant. Car pour le concevoir, il suffit de penser qu'un corps est en action pour se mouvoir vers un certain côté, ce qui se trouve en chacun des instants qui peuvent être déterminés pendant le temps qu'il se meut. Au lieu que, pour concevoir le mouvement circulaire, ou quelque autre que ce puisse être, il faut au moins considérer deux de ses instants, ou plutôt deux de ses parties, et le rapport qui est entre elles [...].

Je pourrai mettre encore ici plusieurs règles pour déterminer, en particulier, quand et comment et de combien le mouvement de chaque corps peut être détourné, et augmenté ou diminué, par la rencontre des autres ; ce qui comprend sommairement tous les effets de la Nature. Mais je me contenterai de vous avertir qu'outre les trois lois que j'ai expliquées, je n'en veux point supposer d'autres que celles qui suivent infailliblement de ces vérités éternelles, sur qui les mathématiciens ont accoutumé d'appuyer leurs plus certaines et plus évidentes démonstrations : ces vérités, dis-je, suivant lesquelles Dieu même nous a enseigné qu'il avait disposé toutes choses en nombre, en poids et en mesure ; et dont la connaissance est si naturelle à nos âmes, que nous ne saurions ne pas les juger infaillibles, lorsque nous les concevons distinctement, ni douter que, si Dieu avait créé plusieurs Mondes, elles ne fussent en tous aussi véritables qu'en celui-ci. De sorte que ceux qui sauront suffisamment examiner les conséquences de ces vérités et de nos règles pourront connaître les effets par leurs causes ; et, pour m'expliquer en termes de l'École, pourront avoir des démonstrations a priori de tout ce qui peut être produit en ce nouveau Monde.

Le Monde, chap. VII, AT XI, p. 36-47.

B. *Les autres lois et la création des vérités éternelles*

Je ne laisserai pas de toucher en ma Physique plusieurs questions métaphysiques, et particulièrement celle-ci : que les vérités mathématiques, lesquelles vous nommez éternelles, ont été établies de Dieu et en dépendent entièrement, aussi bien que tout le reste des créatures. C'est, en effet, parler de Dieu comme d'un Jupiter ou Saturne, et l'assujettir au Styx et aux Destinées, que de dire que ces vérités sont indépendantes de lui. Ne craignez point, je vous prie, d'assurer et de publier partout que c'est Dieu qui a établi ces lois en la nature, ainsi qu'un roi établit des lois en son royaume.

Or il n'y en a aucune en particulier que nous ne puissions comprendre, si notre esprit se porte à la considérer, et elles sont toutes *mentibus nostris ingenitae*, ainsi qu'un roi imprimerait ses lois dans le cœur de tous ses sujets, s'il en avait aussi bien le pouvoir.

Lettre à Mersenne du 15 avril 1630,
AT I, p. 145.

3. La différence entre prouver et expliquer

Vous dites aussi que prouver des effets par une cause puis prouver cette cause par les mêmes effets, est un cercle logique, mais je n'avoue pas pour cela que c'en soit un, d'expliquer des effets par une cause, puis de la prouver par eux : car il y a grande différence entre prouver et expliquer. À quoi j'ajoute qu'on peut user du mot démontrer pour signifier l'un et l'autre, au moins si on le prend selon l'usage commun, et non en la signification particulière que les philosophes lui donnent.

Lettre à Morin du 13 juillet 1638,
AT II, p. 197-198.

V. La physiologie

1. La circulation du sang, le mouvement du cœur et des artères

Je suppose que le corps n'est autre chose qu'une statue ou machine de terre, que Dieu forme tout exprès, pour la rendre la plus semblable à nous qu'il est possible : en sorte que, non seulement il lui donne au-dehors la couleur et la figure de tous nos membres, mais aussi qu'il met au-dedans toutes les pièces qui sont requises pour faire qu'elle marche, qu'elle mange, qu'elle respire, et enfin qu'elle imite toutes celles de nos fonctions qui peuvent être imaginées procéder de la matière, et ne dépendre que de la disposition des organes.

Nous voyons des horloges, des fontaines artificielles, des moulins, et autres semblables machines, qui n'étant faites que par des hommes, ne laissent pas d'avoir la force de se mouvoir d'elles-mêmes en plusieurs diverses façons ; et il me semble que je ne saurais imaginer tant de sortes de mouvements en celle-ci, que je suppose être faite des mains de Dieu, ni lui attribuer tant d'artifice, que vous n'ayez sujet de penser, qu'il y en peut avoir encore davantage […].

La chair du cœur contient dans ses pores un de ces feux sans lumière […] qui la rend si chaude et si ardente, qu'à mesure qu'il entre du sang dans quelqu'une des deux chambres ou concavités qui sont en elle, il s'y enfle promptement et s'y dilate : ainsi que vous pourrez expérimenter que fera le sang ou le lait de quelque animal que ce puisse être, si vous le versez goutte à goutte dans un vase qui soit fort chaud. Et le feu qui est dans le cœur de la machine que je vous décris, n'y sert à autre chose qu'à dilater, échauffer, et subtiliser ainsi le sang, qui tombe continuellement goutte à goutte, par un tuyau de la veine cave, dans la concavité de son côté droit, d'où il s'exhale dans le poumon ; et de la veine du poumon, que les anatomistes ont nommé *l'Artère veineuse*, dans son autre concavité, d'où il se distribue par tout le corps.

La chair du poumon est si rare et si molle, et toujours tellement rafraîchie par l'air de la respiration, qu'à mesure que les vapeurs du sang, qui sortent de la concavité droite du cœur, entrent dedans par l'artère que les anatomistes ont nommé la *Veine artérieuse*, elles s'y épaississent et convertissent en sang derechef ; puis de là tombent goutte à goutte dans la concavité gauche du cœur ; où si elles entraient sans être ainsi derechef épaissies, elles ne seraient pas suffisantes pour servir de nourriture au feu qui y est.

Et ainsi vous voyez que la respiration, qui sert seulement en cette machine à y épaissir ces vapeurs, n'est pas moins nécessaire à l'entretènement de ce feu, que l'est celle qui est en nous, à la conservation de notre vie, au moins en ceux qui sont hommes formés ; car pour les enfants, qui étant encore au ventre de leurs mères, ne peuvent attirer aucun air frais en respirant, ils ont deux conduits qui suppléent à ce défaut ; l'un par où le sang de la veine cave passe dans la veine nommée artère, et l'autre par où les vapeurs ou le sang raréfié de l'artère nommée veine, s'exhalent et vont dans la grande artère.

Le pouls, ou battement des artères, dépend des onze petites peaux, qui, comme autant de petites portes, ferment et ouvrent les entrées des quatre vaisseaux qui regardent dans les deux concavités du cœur ; car au moment qu'un de ces battements cesse, et qu'un autre est prêt de commencer, celles de ces petites portes qui sont aux entrées des deux artères se trouvent exactement fermées, et celles qui sont aux entrées des deux veines se trouvent ouvertes : si bien qu'il ne peut manquer de tomber aussitôt deux gouttes de sang par ces deux veines, une dans chaque concavité du cœur. Puis ces gouttes de sang se raréfiant, et s'étendant tout d'un coup dans un espace plus grand sans comparaison que celui qu'elles occupaient auparavant, poussent et ferment ces petites portes qui sont aux entrées des deux veines, empêchant par ce moyen qu'il ne descende davantage de sang dans le cœur, et poussent et ouvrent celles des deux artères, par où elles entrent promptement et avec effort, faisant ainsi enfler le cœur et toutes les artères du corps en même temps. Mais, incontinent après, ce sang raréfié se condense derechef, ou pénètre dans les autres parties ; et ainsi le cœur et les artères se désenflent, les petites portes qui sont aux deux entrées des artères se referment, et celles qui sont aux entrées des deux veines se rouvrent, et donnent passage à deux autres gouttes de sang, qui font derechef enfler le cœur et les autres artères, tout de même que les précédentes.

L'Homme, AT XI, p. 120-125.

2. La chaleur cardiaque et la dilatation du sang

Il dit qu'il ne faut pas qu'il y ait moins de chaleur dans le cœur que dans un fourneau, afin que les gouttes de sang puissent être raréfiées assez promptement pour le dilater, il semble n'avoir pas pris garde comment le lait, l'huile et presque toutes les autres liqueurs qui sont mises sur le feu se dilatent au commencement peu à peu et fort lentement ; mais que, lorsqu'elles sont parvenues jusqu'à un certain degré de chaleur, elles s'enflent tout à coup et comme en un moment, en sorte que si on ne les retire aussitôt du feu, ou du moins qu'on ne découvre le vase où elles sont, afin que les esprits, qui sont la principale cause de cette raréfaction, en puissent sortir, une bonne partie s'enfuira et s'écoulera dans les cendres. Et ce degré de chaleur doit être divers, selon que la nature de la liqueur est diverse. Car même il y en a de telles qui à peine sont tièdes qu'elles se raréfient et se gonflent de la sorte. S'il eût observé cela, il eût facilement jugé que le sang qui est contenu dans les veines de chaque animal approche beaucoup de ce degré de chaleur qu'il doit acquérir dans le cœur afin d'y pouvoir être raréfié en un instant.

Lettre à Plempius pour Fromondus
du 3 octobre 1637, éd. Alquié, I, p. 789.

3. Les esprits animaux

Pour ce qui est des parties du sang qui pénètrent jusqu'au cerveau, elles n'y servent pas seulement à nourrir et entretenir sa substance, mais principalement aussi à y produire un certain vent très subtil, ou plutôt une flamme très vive et très pure, qu'on nomme les Esprits animaux. Car il faut savoir que les artères qui les apportent du cœur, après s'être divisées en une infinité de petites branches, et avoir composé ces petits tissus, qui sont étendus comme des tapisseries au fond des concavités du cerveau, se rassemblent autour d'une certaine petite *glande*, située environ le milieu de la substance de ce cerveau, tout à l'entrée de ces concavités ; et ont en cet endroit un grand nombre de petits trous, par où les plus subtiles parties du sang qu'elles contiennent se peuvent écouler dans cette glande, mais qui sont si étroits, qu'ils ne donnent aucun passage aux plus grossières.

Il faut savoir que ces artères ne s'arrêtent pas là, mais que, s'y étant assemblées plusieurs en une, elles montent tout droit, et se vont rendre dans ce grand vaisseau qui est comme un Euripe, dont toute la superficie extérieure de ce cerveau est arrosée. Et de plus il faut remarquer que les plus grosses parties du sang peuvent rendre beaucoup de leur agitation, dans les détours des petits tissus par où elles passent : d'autant qu'elle est même augmentée par celle que leur transfèrent les plus grosses, et qu'il n'y a point d'autres corps autour d'elles, auxquels elles puissent si aisément la transférer.

D'où il est facile de concevoir que, lorsque les plus grosses montent tout droit vers la superficie extérieure du cerveau, où elles servent de nourriture à sa substance, elles sont cause que les plus petites et les plus agitées se détournent, et entrent toutes en cette glande : qui doit être imaginée comme une source fort abondante, d'où elles coulent en même temps de tous côtés dans les concavités du cerveau. Et ainsi, sans autre préparation, ni changement, sinon qu'elles sont séparées des plus grossières, et qu'elles retiennent encore l'extrême vitesse que la chaleur du cœur leur a donnée, elles cessent d'avoir la forme du sang, et se nomment les Esprits animaux.

Or, à mesure que ces esprits entrent ainsi dans les concavités du cerveau, ils passent de là dans les pores de sa substance, et de ces pores dans les nerfs ; où selon qu'ils entrent, ou même seulement qu'ils tendent à entrer, plus ou moins dans les uns que dans les autres, ils ont la force de changer la figure des muscles en qui ces nerfs sont insérés, et par ce moyen de faire mouvoir tous les membres. Ainsi que vous pouvez avoir vu, dans les grottes et les fontaines qui sont aux jardins de nos Rois, que la seule force dont l'eau se meut, en sortant de sa source, est suffisante pour y mouvoir diverses machines, et même pour les y faire jouer de quelques instruments, ou prononcer quelques paroles, selon la diverse disposition des tuyaux qui la conduisent.

L'Homme, AT XI, p. 129-130.

VI. L'homme

1. L'homme et l'animal

Pour ce qui est de l'entendement ou de la pensée que Montaigne et quelques autres attribuent aux bêtes, je ne puis être de leur avis. Ce n'est pas que je m'arrête à ce qu'on dit, que les hommes ont un empire absolu sur tous les autres animaux ; car j'avoue qu'il y en a de plus forts que nous, et crois qu'il y en peut aussi avoir qui aient des ruses naturelles capables de tromper les hommes les plus fins. Mais je considère qu'ils ne nous imitent ou surpassent, qu'en celles de nos actions qui ne sont point conduites par notre pensée ; car il arrive souvent que nous marchons et que nous mangeons, sans penser en aucune façon à ce que nous faisons ; et c'est tellement sans user de notre raison que nous repoussons les choses qui nous nuisent, et parons les coups que l'on nous porte, qu'encore que nous voulussions expressément ne point mettre nos mains devant notre tête, lorsqu'il arrive que nous tombons, nous ne pourrions nous en empêcher. Je crois aussi que nous mangerions, comme les bêtes, sans l'avoir appris, si nous n'avions aucune pensée ; et l'on dit que ceux qui marchent en dormant, passent quelquefois des rivières à nage, où ils se noieraient étant éveillés. Pour les mouvements de nos passions, bien qu'ils soient accompagnés en nous de pensée, à cause que nous avons la faculté de penser, il est néanmoins très évident qu'ils ne dépendent pas d'elle, parce qu'ils se font souvent malgré nous, et que, par conséquent, ils peuvent être dans les bêtes, et même plus violents qu'ils ne sont dans les hommes, sans qu'on puisse, pour cela, conclure qu'elles aient des pensées.

Enfin, il n'y a aucune de nos actions extérieures, qui puissent assurer ceux qui les examinent, que notre corps n'est pas seulement une machine qui se remue de soi-même, mais qu'il y a aussi en lui une âme qui a des pensées, excepté les paroles, ou autres signes faits à propos des sujets qui se présentent, sans se rapporter à aucune passion. Je dis les paroles ou autres signes, parce que les muets se servent de signes en même façon que nous de la voix ; et que ces signes soient à propos, pour exclure le parler des perroquets, sans exclure celui des fous, qui ne laisse pas d'être à propos des sujets qui se présentent, bien qu'il ne suive pas la raison ; et j'ajoute que ces paroles ou signes ne se doivent rapporter à aucune passion, pour exclure non seulement les cris de joie ou de tristesse, et semblables, mais aussi tout ce qui peut être enseigné par artifice aux animaux ; car si on apprend à une pie à dire bonjour à sa maîtresse, lorsqu'elle la voit arriver, ce ne peut être qu'en faisant que la prolation de cette parole devienne le mouvement de quelqu'une de ses passions ; à savoir, ce sera un mouvement de l'espérance qu'elle a de manger, si l'on a toujours accoutumé de lui donner quelque friandise, lorsqu'elle l'a dit ; et ainsi toutes les choses qu'on fait faire aux chiens, aux chevaux et aux singes, ne sont que des mouvements de leur crainte, de leur espérance, ou de leur joie, en sorte qu'ils les peuvent faire sans aucune pensée. Or il est, ce me semble, fort remarquable que la parole, étant ainsi définie, ne convient qu'à l'homme seul. Car bien que Montaigne et Charron aient dit qu'il y a plus de différence d'homme à homme, que d'homme à bête, il ne s'est toutefois jamais trouvé aucune bête si parfaite, qu'elle ait usé de quelque signe, pour faire entendre à d'autres animaux quelque chose qui n'eût point de rapport à ses passions ; et il n'y a point d'homme si imparfait, qu'il n'en use ; en sorte que ceux qui sont sourds et muets, inventent des signes particuliers, par lesquels ils expriment leurs pensées. Ce qui me semble un très fort argument pour prouver que ce qui fait que les bêtes ne parlent point comme nous, est qu'elles n'ont aucune pensée, et non point que les organes leur manquent. Et on ne peut pas dire qu'elles parlent entre elles, mais que nous ne les entendons pas ; car comme les chiens et quelques autres animaux nous expriment leurs passions, ils nous exprimeraient aussi bien leurs pensées s'ils en avaient.

Je sais bien que les bêtes font beaucoup de choses mieux que nous, mais je ne m'en étonne pas ; car cela même sert à prouver qu'elles agissent naturellement et par ressorts, ainsi qu'une horloge, laquelle montre bien mieux l'heure qu'il est que notre jugement ne nous l'enseigne. Et sans doute que lorsque les hirondelles viennent au printemps, elles agissent en cela comme des horloges.

Lettre à Newcastle du 23 novembre 1646,
AT IV, p. 573-575.

2. L'union de l'âme et du corps

La nature m'enseigne [...] par ces sentiments de douleur, de faim, de soif, etc., que je ne suis pas seulement logé dans mon corps, ainsi qu'un pilote en son navire, mais outre cela, que je lui suis conjoint très étroitement et tellement confondu et mêlé, que je compose comme un seul tout avec lui. Car, si cela n'était, lorsque mon corps est blessé, je ne sentirais pas pour cela de la douleur, moi qui ne suis qu'une chose qui pense, mais j'apercevrais cette blessure par le seul entendement, comme un pilote aperçoit par la vue que quelque chose se rompt dans son vaisseau ; et lorsque mon corps a besoin de boire ou de manger, je connaîtrais simplement cela même, sans en être averti par des sentiments confus de faim et de soif. Car en effet, tous ces sentiments de faim, de soif, de douleur, etc., ne sont autre chose que de certaines façons confuses de penser, qui proviennent et dépendent de l'union et comme du mélange de l'esprit avec le corps.

Méditation VI, AT IX-1, p. 64.

Vous devez avouer [...] que vous croyez que l'homme est *un véritable être par soi et non par accident* ; et que l'âme est réellement et substantiellement unie au corps, non par sa situation et sa disposition [...] mais qu'elle est unie au corps par une véritable union, telle que tous l'admettent, quoique personne n'explique quelle est cette union, ce que vous n'êtes pas tenu non plus de faire. Cependant vous pouvez l'expliquer comme je l'ai fait dans ma Métaphysique, en disant que nous percevons que les sentiments de douleur et tous autres de pareille nature, ne sont pas de pures pensées de l'âme distinctes du corps, mais des perceptions confuses de cette âme qui est réellement unie au corps : car si un ange était uni au corps humain, il n'aurait pas les sentiments tels que nous mais il percevrait seulement les mouvements causés par les objets extérieurs, et par là il serait différent d'un véritable homme.

Lettre à Regius de janvier 1642,
éd. Alquié, II, p. 914-915.

BIBLIOGRAPHIE

I. Œuvres de Descartes

Œuvres, édition Adam-Tannery, nouvelle présentation par P. Costabel et B. Rochot, Paris, Vrin, 1964-1974, 11 t., en 13 vol. ; édition en format réduit, 1996.

Œuvres philosophiques, édition Alquié, Paris, Garnier frères, « Classiques Garnier », 1963-1973, 3 vol. ; éd. corrigée, Paris, Classiques Garnier, 2010.

Œuvres complètes, sous la direction de J.-M. Beyssade et D. Kambouchner, Paris, Gallimard, « Tel », 2009, t. III : *Discours de la méthode* et *Essais* ; 2013, t. VIII : *Correspondance*, 2 vol.

Opere, 1637-1649, édition Belgioioso, Milan, Bompiani, 2009.

Opere postume, 1650-2009, édition Belgioioso, Milan, Bompiani, 2009.

Tutte le lettere, 1619-1650, édition Belgioioso, Milan, Bompiani, 2005.

Règles utiles et claires pour la direction de l'esprit en la recherche de la vérité, traduction selon le lexique cartésien et annotation conceptuelle par J.-L. Marion, avec des notes mathématiques de P. Costabel, La Haye, M. Nijhoff, 1977.

Méditations métaphysiques. Objections et Réponses suivi de *Quatre Lettres*, édition M. et J.-M. Beyssade, Paris, GF-Flammarion, 1979 ; nouvelle éd. revue et corrigée, 2011.

Principes de la philosophie I, édition Moreau-Kieft, Paris, Vrin, 2009.

La Recherche de la vérité par la lumière naturelle, édition Lojacono, Milan, Franco Angeli, 2002 ; rééd. Paris, PUF, « Quadrige », 2009.

Le Monde, L'Homme, introduction de A. Bitbol-Hespériès, textes établis et annotés par A. Bitbol-Hespériès et J.-P. Verdet, Paris, Seuil, 1996.

Écrits physiologiques et médicaux, édition Aucante, Paris, PUF, « Épiméthée », 2000.

L'Entretien avec Burman, édition, traduction et annotation par J.-M. Beyssade, Paris, PUF, « Épiméthée », 1981.

II. Index et bibliographies

CAHNÉ, P.-A., *Index du Discours de la méthode de René Descartes*, Rome, Edizioni dell'Ateneo, 1977.

GILSON, É., *Index scolastico-cartésien*, Paris, F. Alcan, 1913 ; 2e éd. revue et augmentée, Paris, Vrin, 1979.

MARION, J.-L., ARMOGATHE, J.-R., *Index des Regulæ ad directionem ingenii de René Descartes*, Rome, Edizioni dell'Ateneo, 1976.

MARION, J.-L., MASSONIE, J.-Ph., MONAT, P., UCCIANI, L., *Index des Meditationes de prima philosophia de R. Descartes*, Besançon/Paris, Université de Franche-Comté/Les Belles Lettres, 1996.

MESCHINI, F.-A., *Indice dei Principia philosophiæ di René Descartes*, Florence, L. S. Olschki, 1996.

SEBBA, G., *Bibliographia Cartesiana. A Critical Guide to the Descartes Literature, 1800-1960*, La Haye, M. Nijhoff, 1964.

ARMOGATHE, J.-R., CARRAUD, V. (éd.), *Bibliographie cartésienne, 1960-1996*, Lecce, Conte, 2003.

Bulletin cartésien, publié une fois l'an depuis 1972 par le Centre d'études cartésiennes, dans les *Archives de philosophie* ; disponible en ligne : www.cartesius.net.

III. Ouvrages biographiques

ADAM, Ch., *Vie et œuvres de Descartes : étude historique*, Paris, Léopold Cerf, 1910, t. XII de l'édition Adam-Tannery ; rééd. 1957.

BAILLET, A., *La Vie de Monsieur Des-Cartes*, Paris, D. Hortemels, 1691, 2 vol. ; rééd. Hildesheim/New York, G. Olms, 1972.

GAUKROGER, S., *Descartes, an Intellectual Biography*, Oxford, Clarendon Press, 1995 ; rééd. 1997.

RODIS-LEWIS, G., *Descartes, biographie*, Paris, Calmann-Lévy, 1995 ; rééd. Paris, CNRS Éditions, 2010.

IV. Études générales

La Formation de Descartes (actes du colloque universitaire de La Flèche organisé à l'occasion des 400 ans de la naissance de Descartes, 12-13 avril 1996), La Flèche, Prytanée national militaire, 1997.

ALQUIÉ, F., *La Découverte métaphysique de l'homme chez Descartes*, Paris, PUF, 1950 ; 7e éd. 2011.

ARIEW, R., *Descartes and the Last Scholastics*, Ithaca (N.Y.)/ Londres, Cornell University Press, 1999.

ARIEW, R., GRENE, M. (éd.), *Descartes and his Contemporaries : Meditations, Objections and Replies*, Chicago, University of Chicago Press, 1995.

ARMOGATHE, J.-R., BELGIOIOSO, G. (éd.), *Descartes : Principia philosophiæ*, Naples, Vivarium, 1996.

BEYSSADE, J.-M., *La Philosophie première de Descartes*, Paris, Flammarion, « Nouvelle bibliothèque scientifique », 1979.

BEYSSADE, J.-M., MARION, J.-L. (éd.), *Descartes. Objecter et répondre*, Paris, PUF, 1994.

BITBOL-HESPÉRIÈS, A., *Le Principe de vie chez Descartes*, Paris, Vrin, « Bibliothèque d'histoire de la philosophie », 1990.

BRUNSCHVICG, L., *Descartes et Pascal lecteurs de Montaigne*, Neuchâtel, Éditions La Baconnière, 1945 ; rééd. Paris, Pocket, « Agora », 1995.

BUZON, F. DE, *La Science cartésienne et son objet*, Paris, Honoré Champion, 2013.

BUZON, F. DE, CARRAUD, V., *Descartes et les « Principia » II. Corps et mouvement*, Paris, PUF, « Philosophies », 1994.

BUZON, F. DE, CASSAN, E., KAMBOUCHNER, D. (dirs), *Lectures de Descartes*, Paris, Ellipses, 2015.

CAHNÉ, P.-A., *Un autre Descartes. Le philosophe et son langage*, Paris, Vrin, « Bibliothèque d'histoire de la philosophie », 1980.

CAVAILLÉ, J.-P., *Descartes. La fable du monde*, Paris, Vrin/ EHESS, 1991.

COSTABEL, P., *Démarches originales de Descartes savant*, Paris, Vrin, 1982.

FICHANT, M., *Science et métaphysique dans Descartes et Leibniz*, Paris, PUF, « Épiméthée », 1998.

GÄBE, L., *Descartes' Selbstkritik. Untersuchungen zur Philosophie des jungen Descartes*, Hambourg, F. Meiner, 1972.

GARBER, D., *La Physique métaphysique de Descartes*, trad. S. Bornhausen, Paris, PUF, « Épiméthée », 1999.

–, *Corps cartésiens, Descartes et la philosophie dans les sciences*, trad. O. Dubouclez, Paris, PUF, « Épiméthée », 2004.

GILSON, É., *Études sur le rôle de la pensée médiévale dans la formation du système cartésien*, Paris, Vrin, « Études de philosophie médiévale », 1930 ; 3e éd. 1967.

GOUHIER, H., *La Pensée religieuse de Descartes*, Paris, Vrin, 1924 ; 2e éd. revue et complétée, 1972 ; 2006.

–, *Les Premières Pensées de Descartes*, Paris, Vrin, 1958 ; 2e éd. 1979.

–, *La Pensée métaphysique de Descartes*, Paris, Vrin, « Bibliothèque d'histoire de la philosophie », 1962 ; 4e éd. augmentée, 1987.

GUENANCIA, P., *Descartes et l'ordre politique*, Paris, PUF, 1983 ; nouvelle éd., Paris, Gallimard, « Tel », 2012.

–, *L'Intelligence du sensible. Essai sur le dualisme cartésien*, Paris, Gallimard, 1998.

–, *Lire Descartes*, Paris, Gallimard, « Folio essais », 2000.

GUEROULT, M., *Descartes selon l'ordre des raisons*, Paris, Aubier, 1953, 2 vol. ; rééd. Paris, Aubier Montaigne, 1968 ; 1994.

KAMBOUCHNER, D., *L'Homme des passions*, Paris, Albin Michel, 1995, 2 vol.

–, *Descartes et la philosophie morale*, Paris, Hermann, 2008.

KENNY, A., *Descartes, a Study of his Philosophy*, New York, Random House, 1968.

KOBAYASHI, M., *La Philosophie naturelle de Descartes*, Paris, Vrin, « Mathesis », 1993.

LAPORTE, J., *Le Rationalisme de Descartes*, Paris, PUF, 1945 ; 4e éd. Paris, PUF, « Épiméthée », 2000.

MARION, J.-L., *Sur l'ontologie grise de Descartes : science cartésienne et savoir aristotélicien dans les « Regulæ »*, Paris, Vrin, 1975 ; 4e éd. revue et augmentée, 2000.

–, *Sur la théologie blanche de Descartes : analogie, création des vérités éternelles et fondement*, Paris, PUF, 1981 ; éd. corrigée et complétée, Paris, PUF, « Quadrige », 1991 ; 2009.

–, *Sur le prisme métaphysique de Descartes : constitution et limites de l'onto-théo-logie dans la pensée cartésienne*, Paris, PUF, « Épiméthée », 1986 ; 2e éd. corrigée, 2004.

–, *Questions cartésiennes. Méthode et métaphysique*, Paris, PUF, 1991.

–, *Questions cartésiennes II. Sur l'ego et sur Dieu*, Paris, PUF, 1996.

–, *Sur la pensée passive de Descartes*, Paris, PUF, « Épiméthée », 2013.

MILHAUD, G., *Descartes savant*, Paris, F. Alcan, 1921.

POPKIN, R. H., *Histoire du scepticisme d'Érasme à Spinoza*, trad. C. Hivet, Paris, PUF, 1995.

RENAULT, L., *Descartes ou la Félicité volontaire : l'idéal aristotélicien de la sagesse et la réforme de l'admiration*, Paris, PUF, « Épiméthée », 2000.

RÖD, W., *Descartes, die Genese des cartesianischen Rationalismus*, Munich, C. H. Beck, 1982.

RODIS-LEWIS, G., *La Morale de Descartes*, Paris, PUF, 1957 ; rééd. Paris, PUF, « Quadrige », 1998.

–, *L'Œuvre de Descartes*, Paris, Vrin, 1971, 2 vol. ; rééd. 2013.

–, *L'Anthropologie cartésienne*, Paris, PUF, « Épiméthée », 1990.

–, *Le Développement de la pensée de Descartes*, Paris, Vrin, « Bibliothèque d'histoire de la philosophie », 1997.

VERBEEK, T. (éd.), *La Querelle d'Utrecht*, Paris, Les Impressions nouvelles, 1988.

VIEILLARD-BARON, J.-L. (éd.), *Le Dualisme de l'âme et du corps* (actes du colloque « Le problème de l'âme et du dualisme : autour de Descartes » organisé par le département de philosophie de l'université de Tours et l'Association des amis du musée Descartes, octobre 1989), Paris, Vrin, « Bibliothèque d'histoire de la philosophie », 1991.

V. Études consacrées au *Discours de la méthode*

BELGIOIOSO, G., CIMINO, G., COSTABEL, P., PAPPULI, G. (éd.), *Descartes : il metodo e i saggi* (actes du colloque organisé à l'occasion du 350e anniversaire de la publication du *Discours de la méthode* et des *Essais*, 21-24 octobre 1987), Rome, Istituto dell'Enciclopedia italiana, 1990, 3 vol.

BUZON, F. DE, « La première publication de Descartes », in Descartes, *Œuvres complètes*, édition Beyssade-Kambouchner, Paris, Gallimard, « Tel », 2009, t. III, p. 15-50.

GILSON, É., *Descartes, Discours de la méthode*, texte et commentaire, Paris, Vrin, 1925 ; 6e éd. 1987.

GOUHIER, H., *Essais sur le Discours de la méthode, la métaphysique et la morale*, Paris, Vrin, 1937 ; 3e éd. 1973.

GRIMALDI, N., MARION, J.-L. (éd.), *Le Discours et sa méthode* (actes du colloque organisé par le Centre d'études cartésiennes à l'occasion du 350e anniversaire de la publication du *Discours de la méthode*, 28-30 janvier 1987), Paris, PUF, 1995.

MÉCHOULAN, H. (éd.), *Problématique et réception du Discours de la méthode et des Essais* (colloque organisé par l'équipe de recherche 75 du CNRS), Paris, Vrin, « Histoire des idées et des doctrines », 1988.

RODIS-LEWIS, G., « Présentation du *Discours* », présentation et notes complétées par D. Kambouchner avec la collaboration d'A. Bitbol-Hespériès, in Descartes, *Œuvres complètes*, édition Beyssade-Kambouchner, Paris, Gallimard, « Tel », 2009, t. III, p. 45-80.

VUILLEMIN, J., *Mathématiques et métaphysique chez Descartes*, Paris, PUF, « Épiméthée », 1960 ; 2e éd. 1987.

CHRONOLOGIE

1596 : Naissance de René Descartes à la Haye en Touraine le 31 mars. Son père est conseiller au Parlement de Bretagne.

1607-1615 : Études au collège des jésuites Henri-IV de La Flèche (dates discutées).

1616 : Baccalauréat et licence en droit à Poitiers.

1618 : Descartes s'engage dans l'armée de Maurice de Nassau, en Hollande. Le 10 novembre, il y rencontre Isaac Beeckman. Ils travaillent ensemble à des questions de mathématiques et de physique. Le 31 décembre, Descartes offre à son ami le *Compendium musicae*, son premier écrit.

1619 : Descartes part pour l'Allemagne, où il assistera, durant l'été, au couronnement de l'empereur Ferdinand II à Francfort. Dans la nuit du 10 au 11 novembre, après avoir découvert les « fondements d'une science admirable », il a trois songes, relatés dans les *Olympica*.

1620-1625 : Il voyage en France et en Italie, et entreprend divers traités dont nous n'avons que quelques notes.

1625-1627 : Descartes séjourne à Paris. Il fréquente notamment Mersenne, Gibieuf, Mydorge, Guez de Balzac. En novembre 1627, lors d'une conférence de Chandoux chez le Nonce du pape, Descartes a l'occasion d'exposer sa « méthode naturelle » et reçoit les encouragements du cardinal de Bérulle.

1628 : Descartes entreprend la rédaction des *Regulae ad directionem ingenii* (*Règles pour la direction de l'esprit*). À l'automne, il s'installe à Franeker, en Frise.

1629 : Il entreprend un traité de métaphysique, qu'il laisse de côté pour se consacrer à l'étude des météores et à la taille des verres. À l'automne, il s'installe à Amsterdam, et entreprend l'exposé complet de sa physique, qu'on trouve dans le *Traité du monde* et le *Traité de l'homme*.

1630 : Rencontre avec le mathématicien Golius, qui lui propose le problème de Pappus. Descartes en trouvera la solution dans l'hiver 1631-1632.

1633 : Seconde condamnation de Galilée. Descartes renonce à publier *Le Monde* et *L'Homme*.

1635 : Naissance de sa fille Francine, qui mourra en 1640, et dont la mère, Hélène, est servante.

1636 : Descartes s'installe à Leyde, où il achève le *Discours de la méthode* et les *Essais* (*Dioptrique*, *Météores*, *Géométrie*).

1637 : Parution (anonyme) du *Discours de la méthode* et des *Essais* en juin. En octobre, Descartes envoie à Huygens son *Explication des engins par l'aide desquels on peut avec une petite force lever un fardeau fort pesant*.

1639-1641 : Rédaction, en latin, des *Méditations métaphysiques*. Mersenne, qui reçoit le manuscrit le 18 novembre 1640, collecte des objections auprès de divers philosophes et théologiens. Le texte et six séries d'objections, avec les réponses de Descartes, paraissent à Paris en août 1641, sous le titre *Renati Descartes Meditationes de prima philosophia in qua Dei existentia et animae immortalitas demonstratur*. En mars 1641, Descartes s'installe près de Leyde, à Endegeest, où il demeure jusqu'en avril 1643.

1642 : Descartes soutient Regius, professeur de médecine, contre Voetius, recteur de l'université d'Utrecht. Le 15 mars, les magistrats d'Utrecht condamnent la philosophie cartésienne. C'est le début de la « querelle d'Utrecht ». En mai, seconde édition des *Méditations*, à Amsterdam. Cette édition comprend la septième série d'objections et réponses, ainsi qu'une lettre au P. Dinet sur la polémique avec Voetius. Le titre, modifié, est le suivant :

Renati Descartes Meditationes de prima philosophia in quibus Dei existentia et animae humanae a corpore distinctio demonstrantur.

1643 : Séjour de Descartes à Egmond. La polémique d'Utrecht se poursuit. Martin Schoock, partisan de Voetius, publie l'*Admiranda Methodus*. Descartes publie sa *Lettre à Voetius*. Début de la correspondance avec la princesse Élisabeth.

1644 : Descartes revient en France pour la première fois depuis 1628. À Amsterdam paraissent les *Principia philosophiae*, et la traduction latine, par E. de Courcelles (revue et corrigée par Descartes), du *Discours*, de la *Dioptrique* et des *Météores*.

1645-1646 : Retour en Hollande, à Egmond. Descartes entreprend un traité sur les passions, à l'occasion de sa correspondance avec Élisabeth.

1647 : Publication, en français, des *Méditations métaphysiques*, traduites par le duc de Luynes, des objections et des réponses, traduites par Clerselier et des *Principes de la philosophie*, traduits par l'abbé Picot.

1647-1648 : Descartes rédige la *Description du corps humain.*

1648 : *Lettre apologétique* aux magistrats d'Utrecht ; réplique à son ancien disciple, Regius : *Notae in programma quoddam.* Mort de Mersenne le 1er septembre. Le 16 avril a lieu l'entretien avec F. Burman.

1649 : Descartes se rend en Suède, à Stockholm, auprès de la reine Christine, en septembre. En novembre, publication des *Passions de l'âme*, à Paris, et de la traduction latine de la *Géométrie*, par Schooten, à Leyde.

1650 : Descartes meurt à Stockholm, le 11 février, d'une pneumonie.

TABLE

Imprimé en France par Maury Imprimeur en août 2022
N° d'édition : 554525-5
Dépôt légal : août 2016
N° d'impression : 264662